KB183245

오늘부터 시작하는 알짜 경제 공부

부자가 되고 싶은 십대에게

WIE WERDE ICH REICHER ALS MEINE ELTERN? : **Alles, was du über Geld wissen musst**

by Tobias Klostermann, with illustrations by claire Lenkova

오늘부터 시작하는 알짜 경제 공부

부자가 되고 싶은 십대에게

토비아스 클로스터만 지음 | 클레어 렌코바 그림 | 전은경 옮김

라임

차례

지금까지 살아오면서 얻은 것

부모님보다 더 부자가 되는 방법이 궁금하다고? 이 책의 표지와 날개에 '토비아스 클로스터만'이라고 쓰여 있는 걸 봤을 거다. 그 사람이 누구냐고? 바로 '금융 및 자산 컨설팅 주식회사 에코블루의 대표'인 나다. 이 걸 읽는 순간, 여러분 머릿속에 곧장 무언가가 떠오를 것이다. 아마도 이런 것이겠지?

'보나 마나 좋은 대학교에서 공부를 했을 테고, 아버지의 유산을 완전히 말아 먹지 않았다는 것 말고는 내세울 게 없는 꼰대일 거야.'

솔직하게 말해서, 내가 여러분보다 나이가 많은 것은 사실이다. 그건 아주 많은 것을 제대로 하거나, 혹은 아주 많은 것을 틀리게 할 시간이 여러분보다 많았다는 뜻이다. 특히 사생활과 돈 문제에서…….

내가 여러분만 한 나이일 때로 시간을 한번 돌려 볼까? 그때는 두 개의 독일이 존재했다. 나는 공산주의 국가였던 동부 독일에서 1980년대를 보냈다.

여러분은 TV 드라마나 그 당시 유행했던 노래를 통해서 1980년대를 알고 있을 거다. 내 기억에 그 시절은 집과 옷, 심지어 사람들까지 대부분 우중충하고 지저분한 잿빛이었다. 그 무렵에 내가 유일하게 누릴 수 있었던 위안은 미국 캘리포니아에서 고모할머니가 보내 준 생필품 꾸러미뿐이었다. 고모할머니가 보내는 청바지와 초콜릿, 껌, 장난감 자동차들만이 우중충한 잿빛이 아니었으니까.

아, 이게 완전히 딱 들어맞는 말은 아니다. 그때는 내가 사랑해 마지않던 펜싱도 있었다. 눈처럼 새하얀 흉갑, 그리고 장갑과 바지는 내가 자라던 우울한 잿빛 나라와는 정반대였다.

청소년기에 나는 늘 펜싱 꿈을 꾸었다. 사실 달리 할 일이 없었다. 베를린 장벽 뒤편의 상황은 매우 비참했다. 내 신발은 너무 낡은 데다 대충 덧대어 꿰맨 상태라서 펜싱을 할 때마다 계속 벗겨졌다.

나는 얼른 그곳을 벗어나 드넓은 세상으로 나가고 싶었지만 상황상 그럴 수가 없었다. 평범한 국민이 국가를 벗어나기는 매우 힘들었다. 비행기나 야간 열차, 혹은 자동차를 타고 장거리 여행을 하여 외국으로 나가는 것은 거의 불가능했다.

그나마 다행히 운동 선수는 그럴 수 있었다. 나는 헝가리의 부다페스트와 체코의 올로모우츠, 폴란드의 카토비체에서 열린 국제 대회에 참석해 유럽 전역에서 온 선수들과 펜싱 시합을 했다. 그때 내 눈에 확 띈 것이 있었다. 다른 선수들의 신발이 엄청나게 좋다는 것! 대체로 줄 세 개가 나란히 그어져 있는 아디다스 정품을 신고 있었다. 그 신발은 그 전까지 말로만 듣거나 텔레비전으로만 보았다. 아니면 꿈에서 보거나.

나는 그 신발이 반드시, 꼭, 기필코 갖고 싶었다. 이 세상에는 너무도 갖고 싶은 멋진 물건이 많다는 사실을 아마도 그 시합 때 처음 알았던 것 같다. 동독의 청소년 펜싱 선수로서는 그런 물건을 절대로 가질 수 없다는 사실을 잘 알면서도.

사실 내가 정말로 가고 싶은 곳은 부다페스트나 올로모우츠가 아니었다. 암스테르담이나 뉴욕도 아니었다. 바덴뷔르템베르크주의 엄청나게 한적한 소도시 타우버비쇼프스하임에 있는 펜싱 기숙 학교였다. 타우버비쇼프스하임은 펜싱에서만큼은 세계의 중심이었다.

하지만 그 당시 동독의 청소년들은 대부분 살면서 무엇을 할지 직접 선택할 수가 없었다. 앞으로 어떤 일에 종사할지를 국가가 대신 정해 주었다. 나는 대학입학 자격시험을 보고 대학에서 공부하기를 간절히 바랐다. 하지만 실업고등학교 과정을 마쳤을 때, 학교 운영진은 나를 불러 이렇게 말했다.

"너는 자동차 정비공이 될 거야."

아이고, 세상에! 엔진을 매만지는 일은 전혀 상상하지도 않았는데. 흐음, 운이 나빴다. 그러나 저항해 봐야 아무 소용이 없었다.

1989년 가을, 놀랍게도 하늘이 보낸 기적과도 같은 선물이 나에게 도착했다. 바로 베를린 장벽이 무너진 것이다. 그와 동시에 내 앞에 활짝 열린 세계가 펼쳐졌다. 내가 세상을 정복하는 데 방해가 될 만한 것은 아무것도 없는 듯했다. 그래서 첫 번째로 간 곳은? 당연히 타우버비쇼프스하임의 펜싱 기숙 학교였다!

얼마 후 시범 훈련 초대장을 주머니에 넣고 기차에 올랐다. 흥미진진한 미지의 세계를 눈앞에 그리는 내 머릿속에는 단 한 가지 생각뿐이었다.

'내 꿈은 이루어질 거야.'

시범 훈련 후에 트레이너가 나에게 말했다.

"너는 목숨을 걸고 펜싱을 하는구나."

사실 그랬다. 기술적으로는 천재가 아니었지만 내 가슴속에는 열정이, 투지가, '타우버비쇼프스하임'이라는 꿈이 들끓고 있었다.

그들은 나를 기꺼이 받아들였다. 그 학교에 입학하면서 줄이 세 개 있는 아디다스 정품 신발을 처음으로 받았다.

내 코치이자—세상에, 세상에, 세상에!—올림픽 금메달리스트인 마티

아스 베어가 대뜸 "네 계획이 뭐지?"라고 물었다. 나는 처음에 그게 무슨 뜻인지 전혀 몰랐다. 나는 이미 목표에 도달했다고 생각했기 때문이다. 꿈에 그리던 펜싱 기숙 학교에 입학해 그에게 펜싱을 배우게 되었으니까.

그가 말했다.

"펜싱 선수인 동시에 자동차 정비공이 될 수는 없어. 정비소에서 몇 시간씩 일한 다음, 저녁에 훈련을 하는 건 불가능해."

그는 몸을 아끼면서 머리를 쓰는 직업이 나에게 필요하다고 말했다. 우아! 자동차 정비공이 될지도 모른다는 악몽에서 드디어 벗어나겠구나. 나는 정말이지 운이 좋다는 생각이 들었다.

코치는 그 지방의 한 은행에서 내가 실습을 할 수 있도록 소개해 주었다. 그때 처음으로 운동 성적 이외의 것을 팔아 보았다. 저축 복권이었다. 한 장에 10마르크였는데, 8마르크는 고객의 저축 계좌로 들어가고 2마르크로는 복권을 사는 식이었다. 운이 아주 좋으면 진짜로 당첨될 수도 있었다.

안전망이 있는 룰렛과 비슷했다. 사람들은 일정한 금액을 안전하게 저축했고, 어쩌다가 당첨이 되면 몹시 기뻐했다. 설사 당첨되지 않는다 해도 그다지 슬퍼하지 않았다. 워낙 적은 돈이라서 거의 잃지 않은 셈이었기 때문이다. 무엇보다 돈을 저축했으니까. 은행에서 하는 일은 사람들을 미소 짓게 만들었고, 나도 기꺼이 웃을 수 있어서 좋았다.

나는 돈이 무척 구체적인 뭔가를 지녔다는 사실을 깨닫기 시작했다.

인간을 위한 혜택, 바로 그것이었다. 개인적으로는 첫 자동차인 르노를 구입하게 해 주었다. 두 달 후 눈길에서 고장이 나긴 했지만, 직접 일해서 번 돈으로 산 것이기에 내게는 단순히 그냥 자동차가 아니었다. 힘겹게 일한 보상이자 자유를 의미했다.

흐음, 그 후에는 청소년기에 자주 일어나는 일이 발생했다. 꿈이 와장창 깨져 버린 것이다. 그토록 사랑하는 펜싱이 장기적으로는 내 삶의 의미가 될 수 없음을 깨닫게 되었다. 그때는 축구와 테니스를 제외하고는 프로 운동선수가 거의 없었다. 톡 까놓고 말해서 지금인들 펜싱만으로 살아갈 수 있는 사람이 이 세상에 과연 몇이나 될까?

나는 내 상황을 아주 멀리 떨어진 외부에서 바라보면 어떨지 자주 상상을 해 보는데, 그걸 '화성의 시각'이라고 부른다. 머나먼 화성에서 보면 내게 닥친 여러 가지 문제가 지구에서 생각하는 것보다 훨씬 더 작아 보일 테니까.

나는 펜싱이라는 꿈을 꿀 수 있게 해 준 것에, 내가 훈련을 하거나 시합을 하는 순간을 기꺼이 즐긴 것에, 또 펜싱 덕분에 은행에서 일하게 된 것에 마음 깊이 감사했다.

사실 여러분이 입금한 것과 똑같은 화폐로 투자금을 돌려받을 필요는 없지 않은가. 내가 펜싱을 해서 얻은 것은 프로 경력이 아니었다. 바로 여러 가지 가능성의 문을 열어 준 인맥을 얻었다.

펜싱 기숙 학교 출신이자 올림픽 금메달리스트인 엘마 보르만은 나중에 나를 은행에서 대형 보험 회사로 옮기게 해 주었다. 나는 글로벌 기업을 위해 사람들의 욕구를 분석하는 일을 했다. 그들은 경제적으로 이루고 싶은 것을 나에게 말했고, 나는 그들에게 지름길을 알려 주었다. 양쪽에 다 좋은, 그야말로 윈-윈하는 사업이었다.

나는 일을 아주 잘해 냈다. 그래서 너무너무 교만해진 나머지, 나의 내면에 흉측한 생각이 자란다는 사실을 미처 깨닫지 못했다는 점이 문제였다. 내가 모든 것을 알고 있고, 모든 것을 할 수 있으며, 아무도 필요하지 않다는 생각에 빠졌던 것이다.

글로벌 기업에서 독립한 뒤에는 내가 이 일을 기꺼이 즐겁게 했던 이유를 잊어버렸다. 그사이에 너무나 많은 돈을 벌었기 때문이다. 첫 펜싱화와 첫 르노 자동차를 이따금씩 떠올렸다. 하지만 필요한 건 무엇이든 살 수 있다는 생각이 내 내면에서 다른 것을 죄다 몰아냈다. 나는 더 많은 돈을 벌었고, 더욱더 많이 벌려고 애를 썼다.

23세에 처음 포르쉐 911을 몰았다. 교통사고가 났는데도 계속 운전을 했다. 운전하지 말아야 할 상황에서도 운전대를 기어이 놓지 않았다. 운전면허를 취소당하고도 계속해서 운전했다. 포르쉐를 운전하는 것이 법을 지키는 일보다 더 중요하다고 여겼다.

나는 몇 번이고 경찰에 붙잡혔다. 하지만 전혀 신경 쓰지 않았다. 남에게 보여 주고 그들의

감탄을 받는 것, 그것이 무작정 좋았다. 술에 취한 상태와 비슷했다. 어느새 돈은 내 내면의 공허함을 채우는 냉혹한 수단이 되었다.

펜싱 선수를 꿈꾸며 저축 복권으로 사람들을 미소 짓게 만들던 청년은 어느새 불쾌한 허풍선이로 변해 버렸다. 경찰에 또 잡히던 날, 변호사가 나에게 경고하듯 말했다.

"자네, 계속 이런 식으로 하다가는 교도소에 가게 될 거야."

그때서야 머릿속에서 뭔가가 번쩍하고 터졌다.

'빌어먹을, 내가 도대체 뭘 하고 있는 거지?'

지금의 나로부터 벗어나야 했다. 모든 것에서 거리를 두기 위해 알프스로 도망을 갔다. 내 삶에서 완전히 후퇴했다. 다시 화성의 시각으로 바라보려 애썼다. 오두막에서 이 주 동안 지내면서, 내 삶을 철저히 바깥에서 살펴보았다. 포르쉐 911을 타고 살면서 잘못된 길을 달렸다는, 너무도 씁쓸한 깨달음을 얻었다.

처음으로 돌아가야 했다. 내가 무엇을 할 수 있는지, 무엇을 하려고 하는지, 무엇을 이룰 수 있는지 곰곰이 생각했다. 힘들고 아픈 과정이었지만 결국엔 또 해냈다.

실수에 대한 책임은 나에게 있었고, 나는 거기서 교훈을 얻었다. 그

후 아이들을 낳았다. 지금 여러분 또래다. 내 아이들과 여러분을 위해 이 책을 쓰기로 했다.

이미 말했다시피, 내 인생에서 여러분보다 앞선 점이라고는 멍청한 짓을 더 먼저 했다는 것뿐이다. 긍정적으로 바꿔 말하면, 지금까지 살아오면서 여러분보다 일찍 여러 가지 교훈을 얻었다.

내 삶을 진솔하게 이야기한 것처럼, 이런 말도 솔직하게 할 수 있다. 여러분은 부모님보다 더 부자가 될 수 있다. 0에서 시작한다고 해도, 수상쩍은 사업을 하지 않아도, 무릇 영혼을 팔지 않아도, 여러분 자신을 잊어버리지 않아도 분명히 그렇게 할 수 있다. 필요한 것은 지식과 인내심과 훌륭한 전략뿐이다.

어떻게 그럴 수 있냐고? 자, 첫 10만 원으로 가는 길……. 이제 출발해 볼까?

돈은 어디서 오는 걸까?

10만 원 만들기

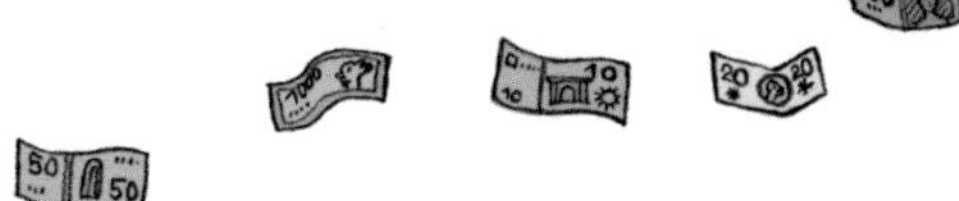

세상은 불공평하고 무례하고 사악하다

"부모님은 쉬웠지만 여러분은 어려울 것이다."

여러분의 출발 상황을 아주 간단하게 표현한 말이다. 기후 변화에서도 같은 상황이라는 걸 이미 알고 있을 것이다. 오늘날의 청소년들은 부모님이 과거에 저지른 일 때문에 앞으로 고통을 겪어야 한다. 그나마 낙관적인 전망은 재정(돈)에 관해서라면 부모님이 겪었던 상황보다 지금이 더 쉽다는 거다.

여러분의 재정적 미래는 아주 우울할 수도 있고, 무척 멋질 수도 있다. 음, 이게 무슨 뜻일까? 둘 다 맞는 말이다. 왜 그런지 몇 가지 예를 들어 볼까?

일을 하고 나서 임금을 받을 때, 안타깝게도 누구든 연봉 계약서에 적혀 있는 금액을 다 받지는 못한다. 세금 '공제 전' 금액과 '실수령액'의 고통스러운(?) 차이가 엄연히 존재하기 때문이다. 쉽게 말해서 소득에 따른 세금을 내야 한다. 그리고 미래를 대비한 예방 조치 중 하나로 일정 금액을 떼어서 낸다. 갑작스럽게 직장을 잃거나 아플 때를 대비해서 미리 돈을 내는 것이다.

또 임금의 일부는 국민 연금으로 들어간다. 이 돈으로 국가는 여러분의 부모님이나 조부모님에게 연금을 지불한다. 바꾸어 말하면, 여러분이 은퇴하고 나서 받는 연금은 여러분의 자녀나 손주들이 내는 셈이 된다. 언뜻 상당히 공정하게 들린다. 안 그런가?

이것이 제대로 작동할 때는 실제로 공정했다. 사람들에게 연금을 지급하려면 돈이 무척 많이 필요하다. 예전에는 사람들이 자녀를 많이 낳았으므로 이 시스템이 계획대로 잘 작동했다.

하지만 요즘은 노인 인구가 점점 늘어나고 젊은이들은 점점 줄어든다. 이것이 바로 여러분이 나이가 들면 더 어려워지는 첫 번째 이유다. 더 적은 수의 젊은이들이 더 많은 노인들의 연금을 내야 하니까, 각자에게 돌아갈 돈이 당연히 적어질 수밖에 없다. 두 번째 이유는 여러분의 부모님이나 조부모님은 여러분이 계획하는 것과 전혀 다르게 직장 생활을 했다는 점이다. 그들 중 다수는 학업을 마친 후에 한 직장에서 오래오래 일하다가 정년 퇴직을 맞았다.

여러분은 아마 속으로 이런 생각을 할지도 모르겠다.

'으악, 평생 똑같은 회사에서 일하다니, 끔찍하게 지루한 일 아닌가?'

사실 청소년들 대부분이 이렇게 생각한다. 회사를 여러 차례 옮기거나, 틈 나는 대로 해외 여행을 가거나, 주기적으로 안식년을 보내려고 할지도 모른다. 또는 결혼을 하지 않고 혼자 살기를 희망할 수도 있다. 물론 반대로 가정을 이루어 아이를 낳고 엄마나 아빠로서 행복한 삶을 살고 싶을 수도 있다. 수많은 선택 조건이 있으니, 여러분이 굳이 원한다면

최소한 두어 번은 시험을 해 보는 것도 좋을 듯하다. 다만 그런 경우에는 안타깝게도 회사의 퇴직 연금을 두둑하게 받기는 어렵다.

그러니 소름 끼치게 끔찍한 괴물 영화를 굳이 스트리밍해서 직접 볼 필요는 없다. '연금 격차'를 검색한 뒤, 여러분이 나중에 연금으로 받게 될 금액과 할아버지와 할머니로서 걱정 없는 생활을 하기 위해 받고 싶은 금액의 차이를 계산해 보면 충분하다.

아, 참! 충고하는데, 지금 바로 검색하지는 말기를. 일단 책을 계속 읽는 편이 좋다! 스포일러를 조금 하자면, '연금 격차'라는 괴물에서 여러분을 구해 줄 사람은 이 세상에 아무도 없다. 여러분 스스로 해야 한다.

⋯⋯○ 세상의 모든 지식이 주머니 속 스마트폰에

여러분의 모든 조상, 그러니까 지난 수백 년 동안의 조부와 증조모들까지 모두 여러분과 함께 한 공간에 갇혀 있다고 상상해 보라. 그러고는 세상에서 가장 어려운 문제를 풀어 보도록 하자. 거기에 모인 사람들 중에서 가장 똑똑하고 현명한 사람 한 명만이 그곳을 떠날 수 있다.

누가 이길지 예상해 보라고? 나는 전 재산과 회사를 여러분에게 걸 것이다. 여러분에게는 100% 이길 수 있는 무기가 하나 있다. 바로 스마트폰이다! 온 인류의 모든 지식이 여러분의 바지 주머니에 들어 있는 셈이다.

전 세계 모든 회사의 주가는 물론, 그 회사의 대표가 누구인지 몇 초 만에 알 수 있다. 누가 전기 자동차를 발명했는지, 각 회사의 지분 비율이 어떻게 되는지, 누적된 수익을 재투자하는 2배 레버리지 상장 지수 펀드(ETF)가 무엇인지 금방 검색할 수 있다. (아, 지금 검색할 필요는 없다. 내가 나중에 다 설명해 줄 거니까.)

여러분은 스마트폰에 증권 회사 앱을 설치한 다음, 곧장 미국의 금광에 투자할 수도 있다. 심지어 테슬라와 구글이 일 년 안에 파산한다는 데 베팅할 수도 있다. (물론 이길 확률은 제로이다.)

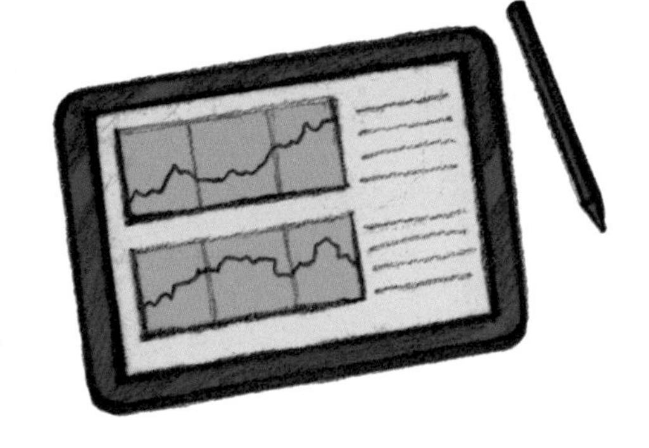

전문가가 되어 일하는 것이 인류 역사상 이렇게 간단했던 적은 일찍이 없었다. 하지만 안다고 해서 반드시 할 필요는 없다. 어쩌면 이런 수십만 가지 선택에 오히려 압도를 당할지도 모른다. 세상이 정말 복잡해졌기 때문이다.

요즘은 마치 간단한 답이 있기라도 한 것처럼 속이는 사람들이 무척 많다. 지루하기 짝이 없는 1999년의 교과서를 읽는 것보다 잘 만든 유튜브를 보는 편이 더 즐겁다는 데는 의문의 여지가 없다. 다만 유튜브에서 누군가가 주가 상승장을 잘못 설명하는 바람에 여러분이 나쁜 성적을 거둔다면? 그건 어쩔 수 없다.

인터넷에는 거짓말과 반쪽짜리 진실, 그리고 쓰레기가 넘쳐난다. 여러분도 잘 알고 있을 것이다. 인터넷에는 정치와 건강 말고도 허튼소리가 널리널리 퍼져 있는데, 우리의 주제인 돈 역시 바로 그러하다.

그러니까 인터넷에서 누군가 손쉽게 부자가 되는 방법에 대해 말한다고 해도 절대로 믿으면 안 된다. 진초록 람보르기니 앞에서 돈다발을 들고 뻐기는 사람을 인스타그램이나 유튜브로 자주 보았을 것이다. 그들은 여러분을 몇 달 안에 부자로 만들어 주겠다고 호탕하게 약속을 한다.

이미 짐작했겠지만, 죄다 허튼소리다. 모두 헛소리를 하고 있는 것이다. "나에게로 와. 무진장 빨리 엄청난 부자로 만들어 줄게."라고 말하는 사람은 다 거짓말쟁이다. 그런 사람은 여러분에게 이익을 주려는 게 아니라 오로지 자기 자신의 이익만 생각하고 있는 것이다.

이 분야에서 삼십 년 동안 일하면서 깨달은 바로는 무진장 빠르거나, 명료하게 계획을 수립할 수 있거나, 합법적으로 부자가 되는 길은 하나도 없다. 실제로 전혀 없다.

합법적이면서 어느 정도 빠른 길은 있지만 계획을 수립하는 건 전혀 가능하지 않다. 애플 대표였던 스티브 잡스가 아이폰을 발명한 것이 이런 예에 속한다. 아이폰은 불현듯 나타나 우리 모두의 예상을 깨고 전 세계를 뒤흔든 제품이다.

물론 불법적인 길은 있다. 계획 수립이 가능하고 빠르기도 한……. 라이프치히의 청년 막시밀리안 슈미트, 일명 샤이니 플레이크스는 자기 방에서 전 세계로 마약 거래를 하는 것으로 이 길을 걸었다.

21세기 초의 가장 위대한 발명가, 스티브 잡스

20세기 말과 21세기 초의 가장 위대한 발명가는 언젠가 자신이 학업을 중단하기 전 학창 시절에 해 본 기억 중에서 가장 인상적인 일은 다양한 환각제(LSD)를 복용한 것이라고 말한 적이 있다.

나중에 애플을 창립한 스티브 잡스는 환각제에 취한 상태를 '살면서 경험한, 아주 중요한 두세 가지 중 하나'라고 표현했다. 이른바 다양한 환각제 복용이 나중에 자기 제품을 디자인하는 데 중요한 영향을 끼쳤다는 얘기다.

1970년대에 잡스는 프루테리언, 즉 거의 과일만으로 영양을 섭취하는 과일주의자가 되었다. 1976년에 빌린 차고에서 시작한 첫 번째 컴퓨터 회사의 이름을 애플이라고 지은 것도 바로 이런 다이어트를 하고 있어서였다.

1977년에 시장에 나온 애플 II는 곧장 베스트셀러로 등극했다. 그 후에 매킨토시(1984년), 필름 스튜디오 픽사 진출(1986년), 아이맥(1998년), 아이팟(2001년)이 그 뒤를 이었다.

사람들은 처음에 매번 "그런 걸 누가

사용할까?"라고 했지만, 나중에는 매번 그 말을 한 사람들을 비롯해 다른 수백만 명의 사람들이 "내가!"라고 대답했다.

그의 모든 제품은 혁명과 다를 바 없었다. 〈토이 스토리〉는 첫 번째 픽사 필름이자 온전히 디지털로 만들어지는 영화들의 본보기가 되었고, 매킨토시와 아이맥은 가정용 컴퓨터, 아이팟은 카세트나 시디가 없는 모바일 뮤직 플레이어의 본보기가 되었다.

2000년대 초반에 스티브 잡스는 새로운 꿈을 꾸었다. 코드 네임은 '퍼플 프로젝트'였다. 자판 대신 터치 스크린이 있는 휴대 전화를 만들었다. 오늘날 우리가 알고 있는 '아이폰'이 그것이다. 이번에도 사람들은 일단 "그런 걸 누가 사용할까?"라고 물었다.

십삼 년 후에 애플은 10억 대의 아이폰을 팔았다. 그리고 지금 애플은 세상에서 가장 값비싼 기업이 되었다.

평생토록 세상을 바꿀 아이디어를 하나가 아니라 다섯 개나 가지고 있었던 스티브 잡스는 '세상에서 가장 보수를 적게 받는 기업 대표'로 기네스북에 오랫동안 올라 있었다.

정말이다! 연봉이 1달러였다. 연봉보다는 애플에서 주식을 받는 것을 선호했는데, 주가가 엄청나게 상승해서 스티브 잡스는 전 세계적으로 엄청난 부자 중 한 명으로 떠올랐다.

십 대의 마약 왕, 샤이니 플레이크스

오랫동안 전 세계는 인터넷으로 굉장한 규모로 마약을 거래하는 샤이니 플레이크스라는 가명 뒤에 누가 숨어 있는지 궁금해했다. 2015년 3월에 경찰은 독일 라이프치히에 있는 어느 집의 청소년 방을 급습했다.

인터넷 바깥세상에서는 막시밀리안 슈미트라고 불리던 청소년, 즉 샤이니 플레이크스의 본부였다. 경찰은 그 방에서 360킬로그램에 달하는 코카인과 환각제(LSD), 엑스터시, 대마초를 발견했다. 독일 마약 역사에서 자그마치 상위를 차지하는 발견이었다.

해마다 수백만 유로를 벌었다고 하는데, 그가 그 거래를 통해 실제로 얼마나 부자가 되었는지 정확하게 아는 사람은 아무도 없다. 손님들이 암호 화폐인 코인으로 지불을 했기 때문이다. 샤이니 플레이크스가 코인을 보관한 지갑(월렛)은 지금까지도 완전하게 풀리지 않았다.

우리는 그의 이야기에서 무엇을 배울 수 있을까? 많은 사람이 원하지만 손에 넣기 어려운 물품을 거래하면 매우 빠른 속도로 부자가 될 수 있다는 것. 지금 이 경우에는 마약이다. 잘 설계된 웹 상점은 직원의 수를 늘리거나 판매 비용을 많이 들이지 않고도 큰돈을 벌게 해 준다.

하지만 샤이니 플레이크스의 사업은 명백히 불법이었다. 2015년 11월, 라이프치히 지방 법원은 마약 거래 죄목으로 그에게 7년 형을 선고했다. 그를 교도소에 넣은 검사는 법정에서 "불법이 아니었다면 그를 존경해야 할 정도입니다."라며 고개를 내둘렀다. 그 정도로 사업 수완이 좋았다는 뜻이다.

샤이니 플레이크스는 가석방되었고, 넷플릭스는 그의 삶을 기반으로 〈인터넷으로 마약을 파는 법(How to Sell Drugs Online (Fast))〉 시리즈와 다큐멘터리 〈나는 십 대에 마약 왕이 되었다(The Teenage Drug Lord)〉를 제작했다.

2021년 3월, 샤이니 플레이크스에 대한 수사가 다시 시작되었다. 그가 또 마약 거래를 했다는 의심을 받았기 때문이다. 세상에, 교도소에 있는 동안에도 앱으로 상점을 열고 사업을 했다고 한다.

돈은 가치를 표시하고 저장한다

이제 여러분은 많은 돈을 버는 두 가지 예를 알게 되었다. 샤이니 플레이크스처럼 불법적인 방법으로 빨리 벌거나, 스티브 잡스처럼 합법적인 방법으로 많은 돈을 벌 수 있다. 내가 가장 좋다고 생각하는(누구에게나 열려 있으므로!) 세 번째 방법은 사실 더 어렵다.

초기 자본(종잣돈, 시드 머니)이 없더라도, 머릿속에 온 세상을 바꿀 만한 아이디어가 없더라도, 합법적이면서도 누구나 계획을 세워서 부에 이르는 길을 설명하려면 이 책 전체가 필요하다.

다만 이 방법에는 한 가지 단점이 있다. 바로 오래 걸린다는 점이다. 몇 달, 몇 년, 아니 어쩌면 몇십 년이 걸릴지도 모른다. 이런 길을 가려면 무엇보다도 튼튼한 기초가 필요하다. 무엇을 할지, 어디에 투자할지, 돈을 왜 많이 갖고 싶은지 스스로 알아내야 하기 때문이다. 또, 돈이 도대체 무엇인지도 알아야 한다.

사실 돈은 상당히 기이하다. 돈이 무엇인지, 그리고 어떻게 생겨났는지 설명하기란 정말 어렵다. 돈은 자연에 존재하지 않기 때문에 더더욱 그렇다. 여러분이 매일 하는 일들이 거의 모두 돈과 관련이 있지만 중력이나 날씨, 또는 저녁에 해가 졌다가 다음 날 아침에 다시

떠오르는 현상처럼 일반적이지는 않다.

돈은 오로지 인간 세상과 연관이 있다. 호랑이는 목덜미를 얼마나 세차게 물지를 두고 영양과 돈으로 거래하지 않는다. 호숫가의 오리들은 여러분에게 빵 부스러기를 조금 더 던져 달라고 만 원짜리 지폐를 건네지 않는다. 사람은 승마를 하려고 말에게 안장과 마구를 올리면서도 시급을 지불하지 않는다. 또, 우리가 잡는 물고기의 값을 바다에 내지 않는다. 공장이 독성 가스를 내뿜는다고 위자료를 받는 공기의 주인도 없다. 다 알다시피 햇살과 바람, 썰물과 밀물은 일단 무료다. 자연 현상이 계속 이어지길 바라며 지폐를 땅에 꽂을 필요가 없다는 얘기다.

사람은 사람들끼리의 거래에만 돈을 사용한다. 물건을 사고 팔거나 직무 수행을 돈으로 교환하기로 합의했다. 작은 일에는 적은 돈을, 큰일에는 큰돈을 지불한다. 빵 한 봉지에는 7,000원, 고급 자동차 한 대에는 7천만 원을 낸다.

이것이 돈의 처음 두 가지 기능이다. 첫째, 사람과 사람 사이의 교환 수단이다. 둘째, 사람들이 물건에 부여하는 가치를 표시한다. 메르세데스 벤츠 AMG는 스마트 자동차나 빵보다 훨씬 더 비싸다.

많은 사람이 이렇게 하는 것이 공평하다고 동의하기 때문이다. 여기에 더해 셋째, 돈은 가치를 저장할 수 있다. 저축을 할 수도 있고 늘릴 수도 있다. 지폐뿐 아니라 온라인 뱅킹의 숫자 형태로도 가치를 저장한다.

사람들이 서로 거래를 할 때 돈은 이 세 가지 기능—교환 수단, 가치 척도, 가치 저장—을 차례로, 또는 동시에 충족해야 한다.

거래의 가장 간단한 형태는 어떤 사람이 갖고 싶은 무언가를 다른 사람이 가지고 있는 경우다. 사람들은 사기를 치거나 빼앗거나 때리는 사람을 믿지 않는다. 그런 사람은 대개 법정에 선 뒤 교도소에 수감된다. 사람들은 만나서 인사로 악수를 하고, 미소를 짓고, 돌아서 나갈 때 등에다 칼을 꽂지 않는 사람과 거래하고 싶어 한다.

그렇다면 어떻게 해야 거래가 끝난 후에 양쪽 모두가 만족할 수 있을까? 아마도 이렇게 하면 되지 않을까? 자기에게 없는 뭔가를 원하는 사람이 상대에게 이렇게 묻는 거다.

“혹시 네가 갖고 싶은 것을 내가 가지고 있나? 내가 너에게 무엇을 주면 되겠니?”

양쪽이 딱 한 번만이 아니라 정기적으로 원하는 물건이 있다면 매우 흥미진진한 상황이 벌어지게 된다.

……○ 최초의 돈은 개오지 달팽이?

우선 이 말부터 해야겠다. 이제 역사적인 내용을 다룬다. 여기서부터 십만 년 인류사를 재빨리 훑어보려 한다. 돈은 사람들이 유목민으로 떠돌다가 한 곳에 정착해 곡물을 심기 시작했을 때 생겨났다. 가축을 기르고, 거기서 젖과 고기와 가죽을 얻을 때 쓰였다. 피라미드를 지을 때도 있었다. 자전거와 아이폰이 발명될 때도 있었고.

돈은 식량난을 일으켰고, 또 이것을 끝냈다. 각 나라들은 돈을 조절하고, 분배하고, 악용했다. 심지어 전쟁을 일으키기도 했고, 평화를 불러오기도 했다. 돈은 처음에 조개였다가 동전과 지폐를 거쳐 디지털 암호 화폐에까지 이르렀다.

나는 수많은 연도와 한없이 긴 통치자 가문의 목록 등, 역사 수업을 지루하게 만드는 것들을 대폭 생략했다. 십만 년에 걸친 돈의 역사를 오랫동안 끓여서 진하고 맛있는 볼로네즈 소스처럼 만들었다. 여러분이 즐겁게 맛을 봐 준다면 무척 기쁠 것이다.

여러분이 단호하고 솔직하게 "볼로네즈 스파게티는 맛이 없어. 그리고 역사만큼 재미없는 과목도 없어."라고 말한다고 해도 괜찮다! 그런 경우에는 돈의 현재와 부자가 되는 길의 출발점을 다루는 쪽으로 건너뛰어서 읽으면 되니까.

자, 이제 시간을 돌려 보자. 인류가 유목민으로 떠돌며 동굴과 나무 위에서 살던 시대로 가 보자. 그 시절에는 사유 재산이 없었다.

기다란 나무 막대에 돌칼이 달린 창은 모두의 소유였다. 그들 중 한 명이 잡은 물고기도 마찬가지였다. 가진 것은 최대한 공평하게 나누었다. 물론 블루베리 몇 알 또는 매머드 고기를 한 토막 더 차지하려고 다른 사람을 흠씬 때리거나 어퍼컷을 날리는 일도 발생했을 것이다.

하지만 내 생각에 원시인들은 자의든 타의든 남보다 더 가지려고 엄청 안달하지는 않았을 것 같다. 그러기에는 모든 물품이 너무 적었다. 슈퍼마켓이 생기기까지는 아직 십만 년이 더 있어야 했다. 그러니까 직접 수렵하고 채집하지 않은 것을 늦은 시각에 문을 연 가게나 주유소에 사러 갈 수 없었다는 얘기다. 유목민들이 설령 많은 것을 소유했다고 하더라도 그저 살아남기에 딱 알맞은 정도에 불과했을 것이다.

아마도 그들은 상당히 힘든 생활을 하지 않았을까? 유목 생활은 상상만 해도 고생스럽다. 동굴은 겨울에 얼마나 추웠을까? 매머드나 멧돼지를 며칠씩 뒤쫓는 일은 참으로 짜증스러웠을 거다. 또 사냥을 하는 동안에 가장 친한 친구가 죽기도 했을 테지.

그래서 사람들은 한 군데 자리를 잡고 집을 짓기 시작했다. 어떤 사람은 야생 젖소를 몇 마리 잡은 뒤 젖을 짜서 우유를 차지했다. 또 어떤 사람은 밀을 가루로 빻은 다음 빵을 구웠다. 그리하여 농부와 제빵사, 공구 제작자 같은 초기 직업이 생겨났다.

일이 이렇게 점점 전문화되면서 새로운 문제가 생겨나기 시작했다.

나에게 빵이 한 조각도 없는데 우유가 100리터 있은들 무슨 소용이 있을까? 게다가 먹지도 못하는 망치와 톱을 잘 만드는 사람은 어떻게 해야 배가 부를 수 있을까? 유목민 때와 달리 물품이 많긴 했지만 모두에게 고르게 분배되지는 않았다.

그들은 서로서로 물품을 교환하기 시작했다. 예를 들어 화살 스무 개와 빵 하나를, 따뜻한 담요 한 장과 염소 한 마리를 바꾸었다. 그리고 다쳐서 피가 나는 다리의 상처를 낫게 해 준 치료자에게는 암소 한 마리를 주었다.

만약 우유를 짜는 사람이 다쳤는데 치료자의 집에 이미 3리터의 우유가 있다면? 치료자는 자신이 마실 수 있는 양보다 더 많은 우유가 필요하지 않을 것이다. 오히려 그는 연고와 물약을 만들 때 쓰는 허브가 필요할 터였다. 물론 치료자는 우유를 받아서 허브 상인과 바꿀 수도 있다. 하지만 허브 상인이 우유를 좋아하지 않아서 받아 주지 않는다면?

이쯤에서 사람들은 물물 교환이 얼마나 어려운지 깨닫기 시작한다. 더 간단하고 쉬운 방법은 없을까? 고민에 빠진 사람들은 곧 에움길인 동시에 지름길인 무언가를 발명해 냈다. 바로 돈이다. 이제 더는 물물 교환을 하지 않아도 되었다. 간편하고 빠르다는 장점이 있었다. 바꾸어 말해,

쇼핑을 하러 감으로써 자신의 필요를 정확하게 충족하는 일이 가능해진 셈이다.

초기에 널리 퍼진 화폐 중 하나는 고대 중국과 아프리카에서 사용한 개오지 달팽이였다. 아, 개오지 조개라고도 불렸다. 그 외에 구슬 돈, 완두콩 돈, 동물의 이빨이나 뼈로 만든 돈도 있었다.

여기서 중요한 점은 두 가지였다. 첫째, 돈으로 사용되는 물품 자체는 큰 가치가 없어야 한다는 것. 5만 원짜리 지폐는 5만 원만큼의 '가치'가 있지만, 돈을 한 장 제작하는 데 드는 종이와 잉크 비용은 고작 몇백 원 정도에 불과하다. 이처럼 사람들은 그 자체로는 가치가 없는 것에다 가치를 부여하기로 했다.

둘째, 돈은 망가져서는 안 된다는 것. 곰팡이가 피거나 시들면 안 되고, 독이 있거나 위험해서도 안 되며, 언제나 이용 가능하면서 운반하기가 쉬워야 했다. 그런 이유에서 꽃과 호랑이, 돌덩이는 화폐로 널리 쓰기에 적당하지 않았다. 이것이 초기에 개오지 달팽이가 돈으로 즐겨 쓰인 이유였다.

몇백 년은 그렇게 잘 지내는 듯했지만, 사람들은 다시 짜증이 스멀스멀 치밀어 오르는 것을 느꼈다. '좀 더 편리한 방법이 없을까? 나는 우리 통치자의 성을 짓느라 매일 18시간씩 일하고서 고작 달팽이 50개를 받는데, 어부는 바다에서 편하게 달팽이를 잡고는 점심때 해먹에서 한가로이 쉬는 건 뭔가 부당한 듯한데?'

동전이 불러온 또 다른 혁명

기원전 6세기에 리디아 왕국의 마지막 왕인 크로이소스가 사르디스를 통치했다. 사르디스는 오늘날 존재하지 않고, 튀르키예에 그 폐허만이 남아 있다. 그 무렵 크로이소스에게는 세상을 아주 크게 변화시킬 만한 아이디어가 있었는데, 돈을 더 간단하면서도 더 공정하게 쓰이도록 만드는 것이었다. 이른바 새로운 지불 수단, 즉 금속으로 찍어 내는 동전이었다.

고대 중국의 개오지 달팽이처럼 동전도 본래의 금속 가치보다 더 많은 '가치'를 지니게 했다. 크로이소스 왕은 동전을 찍은 다음 신하들을 불러 리디아 사람들에게 나눠 주게 했다. 어느새 왕은 화폐를 통제하는 사람이 되었고, 돈은 국가의 중심 업무를 차지했다.

사실 이 혁신적인 아이디어는 리디아 왕국에 별반 도움이 되지 않았다. 오래지 않아 페르시아와의 전쟁에서 패하여 리디아 왕국이 무너져 버렸기 때문이다. 그 자리에 남은 것은 국가가 돈을 제조하고, 분배하고, 통제한다는 획기적인 아이디어뿐이었다.

대제국들은 동전이라는 이 아이디어를 앞다투어 넘겨받았다. 로마 제국과

고대 그리스, 오스만 사람들이 대표적이었다. 이 국가들은 모두 리디아 왕국보다 더 오래 지속되었다.

돈을 가진 사람에게 권력이 있다는 사실을 깨달은 것도 그때였다. 돈을 찍어 내는 사람이 돈의 가치를 결정했다. 그 무렵에는 곡물이나 포도의 가격도 국가가 정했는데, 황제와 왕과 술탄은 의도적으로 가격을 올리거나 내림으로써 사회 전체를 통제해 나갔다.

그 후 크리스토프 콜럼버스는 아메리카에 도착했고, 요하네스 구텐베르크는 활자 인쇄를 만들었다. 그리고 흑사병이 유럽을 덮쳐서 인구 3분의 1을 멸망시켰다. 중세가 막을 내리고, 세상이 급격히 변했다. 동전은 점점 더 많아졌다.

그때는 중앙 정부가 딱히 없었고, 작은 국가와 주들이 많았다. 군주와 공작 등, 스스로 뛰어나다고 생각하는 사람들은 저마다 화폐를 만들었다. 그리고 자신의 영토에 들어온 사람이라면 무조건 그 화폐로 지불하게 했다. 상인이나 여행객들은 계속 환전을 해야 했고, 환전소에서 엄청나게 바가지를 쓰기 시작했다.

비트코인의 최초 개발자, 사토시 나카모토

남성일까? 아니면 여성? 그것도 아니면 여러 명의 모임일지도……. 사토시 나카모토는 2009년에 암호 화폐 비트코인을 개발한 인물이다. 본인을 1957년생의 일본인이라고 주장하지만, 사토시 나카모토라는 가명 뒤에 누가 숨어 있는지 아는 사람은 아무도 없다. 2024년 6월 현재, 사토시 나카모토는 세계에서 23번째로 부유한 사람이다. 그 사람이 누구든, 탐욕이나 불안 같은 인간적인 감정에 영향을 받지 않는 사용자 집단에 의해 조종된다. 국가의 통제와는 거리가 멀뿐더러, 현혹되지 않는 통화의 꿈이라는 아이디어로 세상에 존재한다.

'비트코인'이라는 명칭은 컴퓨터의 단위인 비트(Bit)와 화폐를 뜻하는 코인(Coin)에서 비롯되었다. 기존의 화폐와 달리 정부나 중앙 은행, 금융 기관의 개입 없이 개인 간의 빠르고 안전한 거래가 가능하다. 정부가 원하면 더 찍어 낼 수 있는 기존의 화폐와 달리 최대 발행량이 한정되어 있다.

이 세상의 모든 통화—유로, 달러, 원, 엔 등등—가 언젠가는 사라지고 비트코인으로 대체될지도 모른다고 믿는 사람들도 있다. 반대로 어쩌면 암호 화폐가 사라질 수도 있다. 그렇거나 말거나, 비트코인이 현재의 돈으로 할 수 있는 아주 흥미진진한 실험이라는 사실만은 확실하다.

스테이크가 사과보다 비싼 이유

뭔가의 가치는 어떻게 결정될까? 가격은 어떻게 정해지는 걸까? 사과 한 알과 스테이크 한 장의 가격은 왜 다를까?

스테이크와 사과는 둘 다 식품이다. 사과는 사람이 농장에 나무를 심고 가꾸어야 열린다. 누군가 사과를 수확하여 상자에 담고 배송을 해야 한다. 슈퍼마켓에서 누군가 그것을 진열대에 늘어놓으면 비로소 사람들이 골라 들고 계산대에서 값을 치른다.

스테이크도 마찬가지다. 소를 돌보아 기른 뒤, 도축을 해서 작게 토막을 내야 한다. 고급 레스토랑의 요리사가 스테이크를 그릴에서 먹음직스럽게 구우면 종업원이 손님의 식탁으로 가지고 간다.

그런데 왜 스테이크가 사과보다 비싼 걸까? 이유는 아주 간단하다. 사과보다 스테이크에 더 많은 돈을 지불하려는 사람들이 있기 때문이다. 또한 사과를 대량으로 농장에 심는 일이 소를 키우는 것보다 비용이 덜 들기도 한다.

그렇다면 어느 정도의 가격이 현실적일까? 어떤 제품의 이상적인 가격은 공급과 수요가 만나는 지점에서 만들어진다. 여기에 흥미로운 점이 하나 있다. 이 두 가지 상품의 가격을 정하는 주체는 사람이다. 그러므로 여러분은 당연히 어떤 가격이든 너무 높다거나 너무 낮다고 생각할 수 있다. 어떤 상품이 여러분에게 얼마나 '가치' 있는지 판단함으로써 가격

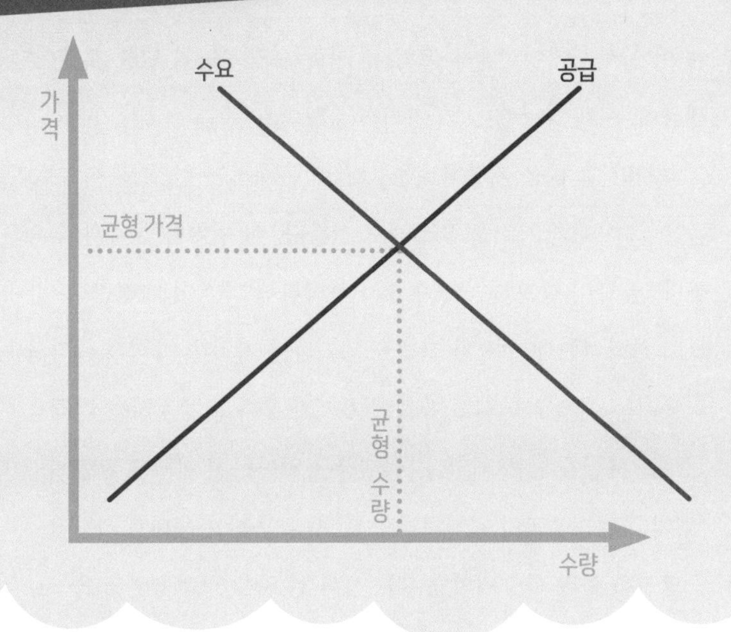

이 정해지는 것이다.

아이폰 가격이 너무 비싸다고 생각한다면? 여러분이 나서서 몇백만 명을 설득하면 된다. 그러면 아이폰의 가격이 내려갈 것이다. 가격이란 원래 무척 민주적이다. 뭔가를 제공하는 사람과 그것을 사려는 사람이 함께 가격을 정하니까.

전 세계에서 가장 값비싼 시계는 영국 런던의 보석 브랜드 그라프 다이아몬드가 만든 '할루시네이션(Hallucination, 환각)'이다. 다양한 색상의 110캐럿 다이아몬드로 장식되어 어찌나 화려한지, 숫자판은 거의 보이지도 않을 지경이다. 시간을 보려고(또는 엄청나게 잘난 척하려고) 손목에 이 할루시네이션을 차고 싶은 사람은 약 750억 원을 지불해야 한다. 세상에, 시계 하나에!

하지만 그 돈을 지불하려는 사람이 존재하는 한, 이론적으로 모든 제품은 그 어떠한 가격을 요구해도 괜찮다. 이 원칙을 공급과 수요라고 말한다. 공급이 증가하는데 수요가 하락하면 가격이 내려간다. 반대로 공급이 하락하는데 수요가 그대로 있거나 증가하면 가격이 올라간다.

우리는 이제 자신의 소유물에 자기가 옳다고 생각하는 가격을 매겨도 된다는 사실을 알게 되었다. 시계공은 얼마든지 이렇게 말할 수 있다.

“내 시계는 750억 원입니다. 사든지 말든지 마음대로 하세요.”

당연히 사과 과수원의 농부는 사과 한 알에 150만 원을 요구할 권리가 있다. 이와 마찬가지로, 식당 주인은 세상에서 제일 좋은 소고기에 금박을 입혀 누군가에게 선물할 수 있다.

내가 길에서 누군가에게 현재 시각을 물어보면 그 사람은 대가로 7만 원을 요구한 뒤 그 돈을 받을 때까지 대답하지 않을 수 있다. 여러분이 원한다면 지금 신고 있는 양말을 벗어서 인터넷 판매 사이트에 올려놓고 15억 원을 요구할 수도 있다.

그렇게 하지 못하게 막을 사람은 아무도 없다. 다만, 문제가 하나 있긴 하다. 시계를 750억 원에, 사과 한 알을 150만 원에 사려는 사람이 과연 있을까? 여러분이 신던 양말을 15억 원에 사거나 금박 스테이크를 선물하려는 사람은?

솔직하게 말하면 대답은 그리 간단하지가 않다. 750억 원짜리 시계에 "사겠다."라는 명확한 대답이 있는 게 아니다. 여러분이 신던 양말을 누군가 15억 원에 사겠다는데 "안 된다."고 명확히 대답할 수도 없다. 공급과 수요의 기본 원칙에 따라 "우아! 이 세상에 이 낡은 양말보다 더 시급하게 필요한 물건은 없어!"라고 말하는 사람이 나타나기만 하면 된다. 그 사람이 그 양말을 예술 작품이라고 선언할 수도 있지 않은가. 몇 년 후에 그 양말이 경매에서 더 비싼 가격에 팔릴지 누가 알 수 있으랴.

하지만 오늘 여러분의 양말을 예술품으로 선언하는 것은 고사하고, 누군가가 사려고 나설 확률은 아주 적다. 안타깝다! '타이밍'이라는 중요한 관점 하나가 빠졌기 때문이다. 어쩌면 과거에는 누군가 여러분이 신

던 양말을 무척 매혹적인 물건이라 여기고 샀을지도 모른다. 또한 앞으로 십만 년 후에 그런 사람이 나타날 가능성도 있다.

거래에는 가격이 결정되는 공급과 수요 외에 또 하나의 기초 단계가 있다. 한마디로 사고팔기다. 사실은 그게 전부라고 해도 과언이 아니다. 여러분이 오천 년 전에 돼지를 시장으로 끌고 가든, 지금 벼룩시장에서 중고 플레이스테이션을 파느라 (하필이면 일 년 중 가장 더운 날에 시장이 열려서) 일사병에 걸리든 다를 바가 없다.

여러분은 팔려고 하는 뭔가를 가지고 있다. 뭔가를 사고 싶어 하는 사람도 있다. 일이 잘 풀리면 벼룩시장에서 둘이 만나 거래를 할 것이다. 뭔가를 사고판다. 여러분의 중고 플레이스테이션 거래는 마천루 제일 꼭대기 층에 있는 수십억 달러 규모의 회사에서 이루어지는 것과 원칙상 똑같이 작동한다. 한 명은 팔고, 한 명은 산다. 아주 단순하다.

벼룩시장에서 실시간 주식 시장으로

월 스트리트는 미국 뉴욕시 맨해튼에 있는 금융 거리이다. 미국의 뉴욕 증권 거래소, 나스닥과 거대 금융사, 투자 은행 등의 대형 금융 기관 기업들이 몰려 있다. 미국 금융 시장의 중심이자 세계 금융 시장의 핵심과도 같은 곳이다.

여기서 증권 거래소는 여러분이 플레이스테이션을 파는 벼룩시장과 비슷하게 움직인다. 다만 벼룩시장과 달리, 여러분이 월 스트리트로 플레이스테이션을 직접 가져가지 않아도 된다는 장점이 있다. 집에서 법률상 효력이 있는 쪽지를 쓰고서 서명을 하기만 하면 된다.

"이로써 나는 플레이스테이션을 가지고 있다는 사실을 보증합니다."

이 소유 증서를 월 스트리트로 가져가서 깊게 심호흡을 한 다음 목청

껏 소리쳐 보자.

"내 플레이스테이션 살 사람 있어요?"

여러분은 딜러에게 가격을 제안해 보라고 요청한다. 혹시 극심하게 스트레스가 쌓인 브로커(주식 딜러) 중 한 명이 인스턴트 쌀국수를 먹다가 고개를 번쩍 들지도 모른다. 어쩌면 바로 그 순간, 과도한 업무에 치여 딸의 생일을 깜빡 잊고 있었다는 사실을 떠올릴 수도 있으니까. 또 잊었다! 하고서. 플레이스테이션이라고? 아주 완벽하군!

그가 여러분에게 다가와 말을 건다. 양측은 거래를 하고 가격에 합의한다. 여러분이 무척 훌륭한 제품을 가지고 있고, 브로커는 아주 급하게 선물을 찾는 중이라면? 여러분은 그에게 큰돈을 요구할 수 있다. (공항에서 모든 물건이 비싼 이유도 이와 같다. 수요는 많고 공급은 적기 때문이다.)

엄청난 고가에 합의한 다음, 여러분은 그에게 플레이스테이션 소유 증서를 건넨다. 두 시간 후에 택배 업체가 여러분의 집으로 와서 플레이스테이션을 가져간다. 여러분은 돈을 제대로 벌었고, (축하한다!) 브로커는 딸에게 줄 선물을 구했다.

이때 증권 거래소에서 수수료로 소액을 뗀다. 여러분의 거래가 그곳에서 이루어졌기 때문이다. 어쨌든 양쪽 다 기분이 좋다. 이 거래는 세 참가자가 서로를 신뢰하기 때문에 이루어지는 것이다. 여러분과 브로커, 증권 거래소 모두.

뉴스에서 여러분도 증권 거래소를 본 적이 있을 것이다. 아주 값비싼 양복을 입은 사람들이 "매수, 매도, 매수!"를 앞다투어 외치는 장소다. 사방에 컴퓨터와 전화기가 있는데, 거기서는 "매수, 매도, 매수!"를 더 많이 외친다.

예전에는 입회 거래장이라는 곳에서 정말로 그렇게 거래를 했다. 요즘 월 스트리트에서는 지극히 적은 곳에서만 그런 식으로 거래가 이루어지고 있다.

사실 이미 오래전부터 대부분의 거래는 컴퓨터를 통해서 이루어진다. 디지털화는 주식(회사 지분) 거래를 완전히 변화시켰다. 예전에는 주식을 몇 년씩이나 소유하고 있었지만, 지금은 순식간에 사고팔 수 있다.

이게 무슨 의미가 있을까? 상당히 좋은 질문이다. 그런데 나도 당장 대답할 수는 없다. 전부 다 꿰고 있지는 못하기 때문이다.

어쨌거나 이런 실시간 거래는 합법적인 데다가 꽤 신뢰할 만하다. 하지만 주식을 몇 분의 일 초 동안만 소유하다가 주가가 0.0000000001%라도 오르기만 하면 컴퓨터가 자동으로 매도하는 행위가 어떤 부가 가치를 창출하는지는 불확실하다. 여기서 장기적으로 크게 이익을 보는 사람은 드물다.

고대 로마의 시장이든, 여러분이 사는 현대의 벼룩시장이든, 뉴욕 월스트리트 실시간 거래든, 매수와 매도 원칙은 항상 똑같다. 한 사람은 뭔가를 가지고 있고, 다른 한 사람은 뭔가를 원한다. 이건 수백 년 전부터 변하지 않고 있다.

여러분의 첫 10만 원

이 장 첫머리에서 나는 이 세상이 불공평하고 무례하며 사악하다고 말했다. 여러분에게 두어 가지 씁쓸한 진실을 밝혀야겠다. 국가가 무척 대단하다는 듯이 약속하는 국민 연금은 여러분이 아무 걱정 없는 노후를 보내기에 충분하지 않다. 여러분의 부모님이 은행에서 높은 이자를 받았을 때는 모든 것이 훨씬 더 나았다. 지금은 모든 것이 악화되어 여러분은 이자를 거의 받지 못한다.

사실 돈 자체는 좋거나 나쁘지가 않다. 여러분이나 나 같은 사람이 돈으로 무엇을 하는지에 달려 있을 뿐이다.

여러분은 그 어떤 선조보다 더 똑똑하게 만들어 주는 스마트폰을 소유하고 있다. 실시간으로 모든 것을 검색할 수 있다. 이 세상의 모든 정보로 향하는 통로를 가지고 있는 셈이다. 하지만 여러분이 이 지식을 어떻게 사용해야 하는지 모른다면 과연 무슨 도움이 될까?

부자가 되는 일은 스티브 잡스처럼 온 세상이 열광할 아이디어를 가지고 있거나, 샤이니 플레이이크스처럼 몇 달 만에 수백만 달러의 마약 거래를 하지 않는 한 길고 긴 마라톤과 같다.

두 사람은 부로 도약했다. 한 사람은 큰 운이 따랐고 타이밍이 좋았으며, 다른 한 사람은 사업 때문에 교도소에 감금되었다. 천재도 아니고 범죄자도 아닌 우리들 대부분에게 남은 가능성은 한 가지뿐이다. 부로 향하는 길을 마라톤처럼 상상하는 것이다. 마라톤과 단거리 달리기의 유일한 공통점은 첫걸음이 가장 중요하다는 점이다.

여러분은 첫 10만 원에 어떻게 도달할 수 있을까? 용돈으로 받는 것보다는 직접 버는 것이 좋다. 여러분이 첫 10만 원을 직접 벌었다면 첫 10억 원을 위한 가장 중요한 기초에 이미 성공한 셈이다. 돈 벌기의 원칙은 언제나 누구에게나 똑같기 때문이다. 여러분에게, 나에게, 모두에게 똑같다. 수천 년 전부터 그랬다. 이 원칙을 여러분은 이미 알고 있다. 사고팔기, 공급과 수요, 거래를 통한 수익…….

여러분은 아주 부유한 사람이 자기가 처음 번 돈을 액자에 넣어 둔 걸 다큐멘터리로 본 적이 있을 것이다. 이런 행동이 동기 부여가 된다고 믿는다면 똑같이 해 보는 것도 괜찮다. 물론 바보 같은 행동이라고 생각하면 하지 말고.

이 책에서 여러분이 부모님보다 부자가 되기 위한 각자의 스타일을 찾아내는 것이 중요하다. 내 생각에는 처음 번 돈의 자부심을 지키기 위해 액자에 넣어 둔 지폐보다 더 나은 은유는 없을 것 같기도 하다.

첫 10만 원을 용돈으로 받지 말고 직접 벌어야 한다면 어떻게 해야 할까? 초기 자본도 없고, 세상을 바꿀 스타트 업을 만들 아이디어도 (아직) 없다면?

여러분의 내면에 귀를 기울여 보라. 정말로 좋아하는 일은 무엇인가? 다른 사람들보다 더 잘하는 일은? 어떤 분야를 더 많이 알고 있나? 이것을 알아낸다면 첫 번째 사업 계획의 기초를 손에 넣은 셈이다.

예를 들어, 자전거 고치는 걸 좋아한다면 폐기물 처리장에 가서 한 대 가지고 온 다음, 그걸 고쳐서 벼룩시장에 내다파는 거다. 그 돈으로 벼룩시장에서 고장 난 자전거를 두 대 더 사라. 그걸 수리해서 판 뒤, 자전거를 또 사서 처음부터 다시 시작한다.

음, 여러분이 강아지나 아기를 좋아한다면? 주변에 전단지를 붙여서 (또는 인터넷에 알려서) 양육 문제로 스트레스를 받는 부모들의 아기나 반려동물 집사들의 강아지를 잠시 동안 돌봐주는 것도 좋다.

어쩌면 한정판 운동화에 관심이 있을지도 모르겠다. 곧 출시될 상품을 위해 몇 달 동안 돈을 아꼈을 수도 있으니까. 그럴 땐 당장 사지 말고 한 차례 건너뛰는 편이 낫다. 다음 상품이 출시 때까지 기다리면서 그사이에 계속 돈을 모으는 거다.

그러다 적당한 때가 되면 새벽 3시에 매장 앞에 줄을 서 있다가 두 켤레를 산다. 한 켤레는 여러분이 신고, 다른 한 켤레는 당근마켓 같은 인터넷 매매 사이트에 판매 글을 올린다. 새벽 3시에 매장 앞으로 가서 줄을 서 있기는 싫지만, 이 운동화는 꼭 갖고 싶은 누군가가 분명히 있을 것이다. 그 사람에게 약간의 웃돈을 얹어 두 번째 운동화를 파는 거다.

결과적으로 여러분과 또 다른 누군가는 아주 멋진 운동화를 갖게 되었다. 여기서 중요한 사실은 여러분이 스스로 수익을 냈다는 사실이다.

만약 코딩을 할 줄 안다면? 마치 90년대에서 지금 막 튀어나온 것처럼 유행에 한참 뒤처져 보이는 웹 사이트를 프로그래밍해 주는 것도 좋은 방법이다. 음식이 몸에 어떤 영향을 끼치는지에 관심이 많다면? 닭고기나 브로콜리로 최대한 근육을 많이 만드는 방법을 알려 주도록 한다. 뱃살을 최소한으로 유지하려면 어떻게 해야 하는지 잘 안다면? 다른 사람들에게 다이어트 계획을 짜 주는 거다. 매우 저렴한 가격으로!

어쩌면 여러분은 정말로 기괴한 애니메이션을 좋아해서 모두 봤는데, 친구들에게 추천해 줘도 그들이 전혀 몰라서 짜증이 날 수도 있을 거다. 그럴 때는 뉴스레터를 써라! 팟캐스트를 시작하라! 시간 말고는 딱히 비용이 들지 않는다. 두어 달은 무료로 진행한 뒤에 구독자의 충성도가 높아지면 질 높은 정보를 제공해 주는 대가로 돈을 받을 수 있다.

물론 이것은 어디까지나 이상적인 경우다. 현실은 생각보다 녹록지 않다. 여러분이 좋아하지 않는 일을 해서 돈을 번다고 해도 똑같이 존경

받을 만하다. 돈을 벌기 위해 재미없는 일을 해야 할 수도 있다. 이런 식으로 첫 10만 원을 벌 수 있다. 재미가 적은 경우엔 동기 부여하기가 어렵긴 하지만 그래도 일이 진행되기는 한다.

슈퍼마켓 선반 정리도, 카페 종업원 일도, 피자 배달도 모두 존경받을 만한 일이다. 물론 여러분은 그 일에 그다지 열정을 쏟지 않을지도 모른다. 하지만 여러분이 일하는 슈퍼마켓과 카페와 피자 가게를 자세히 이해하려고 노력해 보라.

마르게리타 피자에 올리는 치즈 가격은 얼마인가? 좋은 치즈나 살라미를 얹으면 왜 더 비싼가? 가격은 어떻게 형성되는가? 피자 가게 주인과 여러분이 장사를 잘하려면 손님에게 얼마를 받아야 하는가? 어떤 사람들이 피자를 자주 주문하는가? 어느 시간에 주문량이 치솟는가?

여러분의 일을 응용 경제학의 첫 수업이라고 생각해 보는 거다. 공급, 그러니까 피자는 어떤 재료로 만들어질까? 수요, 즉 피자를 주문하는 사람들의 욕구는 무엇일까? 한쪽은 다른 쪽에 어떤 영향을 미칠까?

나는 라우다-쾨닉스호펜(바덴뷔르템베르크주에 있는 마을) 선술집에서 종업원으로 처음 일했다. 그저 맥주를 따르면서 사람들을 취하게 만드는 걸로 돈을 벌고 싶지 않았다. 뭐, 그 일도 무척 재미있기는 했다. 하지만 선술집이라는 이 차단된 세계가 온 세상을 다 반영한다고 생각하는 편이 훨씬 더 흥미진진했다. 사람들은 무엇을 위해 돈을 지불하나? 일개 종업원인 나는 이 일과 어떤 연관이 있을까?

어찌 보면 요식업은 매우 훌륭한 학교다. 여러분이 일하는 카페와 술집, 푸드 트럭은 사람들이 돈을 기꺼이 지불하는 장소니까. 사람들은 범칙금을 내는 것보다 맥주와 파스타를 먹는 데 돈을 쓰는 걸 더 좋아한다.

요식업은 정말로 분주하고 바쁘다. 여러분이 시간당 맥주 20잔, 구운 소시지 10개, 또는 카푸치노 5잔을 계산했다면 정확하게 그만큼의 거래를 한 것이다. 그러는 사이에 암산과 현금 계산법을 배운다. 서로 거래를 하려면 대화를 해야 한다는 사실도 알게 된다. 대화를 할 때는 상대방의 눈을 보는 것이 좋으며, (그래서 거짓말을 하기가 인터넷에서보다 어렵다.) 가격이 적당하지 않으면 불평이 따른다는 것도 깨닫는다.

여러분이 첫 거래로 세상을 바꿀 필요는 없다. 일단은 사람들을 배부르게 하고, 그들에게 정보를 주거나 옷을 잘 차려입게 하는 것만으로도 충분하다. 여러분의 거래는 자신을 비롯해서 다른 사람들에게 무언가 이익을 준다. 여러분이 버는 돈은 그 결과 중 하나다.

여러분의 마음에 드는 방식으로 돈을 벌도록 하라. 첫 10만 원을 벌 수 있는 가능성은 세상에 널려 있다. 여러분에게 맞는 방법을 찾기만 하면 된다. 10억 원이라는 기나긴 마라톤에서 이제 막 첫 10만 원을 끝냈다. 이제 9억 9,990만 원이 남았다. 걱정 마라. 너끈히 해낼 수 있을 거니까.

돈을 많이 찍어 내면 모두 부자가 될까?

경제부 총리가 TV 연설에서 이런 말을 한다고 가정해 보자.

"사랑하는 국민 여러분, 오늘 자정에 모든 사람에게 10억 원을 현금으로 드리겠습니다. 진심으로 축하합니다. 이제 우리 모두 부자입니다."

그러면 무슨 일이 벌어질까? 너나없이 주식 계정을 만들고, 믿을 만한 펀드에 돈을 넣고, 노후 준비를 하고, 빚을 갚고, 낡은 세탁기를 바꿀까? 아니, 말도 안 되는 소리다!

아마도 지금까지 행해진 것 중에서 가장 성대한 파티를 보게 될 것이다. 사람들은 바다가재와 캐비어를 포함해 각종 요리를 먹을 수 있는 뷔페를 연 뒤, 샴페인을 터뜨리며 낯선 사람들과 키스를 할 것이다. 그것도 모자라, 값비싼 자동차를 운전하며 온 도시를 쏘다니겠지.

다음 날은? 온 국민이 지독한 숙취를 느끼며 잠에서 깨어날 것이다. 일차적으로는 샴페인 때문이겠지만, 다른 한편으로는 돈이 이제 아무런 가치도 없다는 사실을 깨달아서일지도.

모든 사람이 갑자기 예전보다 1,000배 더 부자가 되면 모든 것이 순식간에 1,000배 더 비싸지게 된다. 테이크아웃 커피 한 잔? 370만 원. 극장 표 한 장? 1,500만 원. 좋아하는 래퍼의 콘서트 입장권? 5억 원.

온 세상의 정부가 자기 국민들에게 10억 원씩 선물한다고 해도 결과는 똑같다. 기껏해야 하루가 늦어질 뿐, 모든 것이 같은 이유로 비싸질 것이다.

사람들은 돈에 특정한 가치가 있다는 데 동의한다. 그리고 이 가치가 하룻밤 사이에 완전히 달라지지 않을 거라고 믿는다. 그런데 우리가 하룻밤 사이에 모두 부자가 된다면 이 신뢰가 무너지게 된다.

밤사이에 받은 돈을 다음 날 아침에 손수레에 담아 시장에 가지고 가서 산더미처럼 쌓은 다음 기름을 부어 태워 버릴 수도 있다.

바꾸어 말해서, 우리 모두 부자가 될 만큼 많은 돈을 찍어 낸다면 어떤 이익이 생길까? 전혀 없다. 그보다는 차라리 우리 스스로 아무도 가난하지 않을 수 있게 기부를 하는 편이 훨씬 더 좋은 세상을 만들 것이다.

실제로 세계의 기아는 연간 몇십억 달러만 있어도 해결이 된다. 그것을 위해 단 한 장의 지폐도 새로 찍어 낼 필요가 없다. 지금 가지고 있는 것을 조금만 더 나누는 것으로 충분하다.

주식을 알면 세상이 다르게 보인다

100만 원 만들기

·········○ 부자가 되면 행복할까, 아니면 행복하면 부자일까?

돈이 생긴 뒤로 사람들은 그것이 행복을 가져다주는가, 라는 문제에 몰두했다. 나이 든 사람이든 젊은 사람이든, 돈이 많든 적든, 아주 바보든 아주 똑똑하든 누구나 그런 생각에 빠져 있었다.

고대 그리스의 유명한 철학자인 아리스토텔레스도 이 문제를 고민했다. 그는 돈이 사람을 행복하게 만들지 못한다고 확신했다. 행복은 예금 통장의 잔고가 아니라 내면에서 온다는 것이다. 선하고 충만한 삶은 자신이 선하고 충만한 삶을 산다고 진심으로 믿는 사람이 누릴 수 있다나? 이게 무슨 뜻일까?

아리스토텔레스는 고대 아테네에서 왕가의 집안과 궁정을 위한 철학자로 살았다. 그때의 아테네는 지금의 뉴욕이나 런던, 도쿄, 서울처럼 세

계의 중심이었다. 경제와 문화의 중심이었기에, 장사와 연극으로 부유해지고 유명해진 사람들이 이곳에 모여 살았다.

아리스토텔레스는 모든 것을 살 수 있는 사람들을 면밀히 관찰했다. 목이 마를 때는 가장 좋은 와인을, 외로울 때는 가장 아름다운 여성이나 남성을 사는 사람들이었다. 부자는 무엇을 상상하든 다 소유했다. 그렇지만 아리스토텔레스는 주위에서 행복한 사람을 보지 못했다. 오히려 질투와 시기, 배반, 간통, 살인을 목격했다.

그의 눈에는 슬픈 삶을 살아가는 부자들이 보였다. 그들은 상상도 못할 부를 쌓고 올리브와 무화과, 로즈마리에 구운 양고기 등 최고의 음식을 먹었다. 그리스에서 가장 우수한 대리석으로 만든 호화로운 집에서 혼자 식사를 했다. 그들은 와인을 금테 두른 수정잔에 마실지, 수정 테 두른 금잔에 마실지를 결정하는 것이 하루 중 가장 중요한 일인 것처럼 굴었다.

너무나 불행한 나머지, 차마 행복하다고 거짓말을 할 수 없었다. 충만하고 선한 삶을 영위한다고도 믿지 못했다. 그저 이 씁쓸한 깨달음을 잊으려고 더 많이 먹고 마셨으며, 더 많은 친구와 파트너를 돈으로 샀다.

그런데 더 많이 살수록 점점 더 불행해졌다. 더 많은 돈을 지출할수록 자기 자신에게서 차츰차츰 멀어졌다.

이천 년쯤 후, 독일 철학자 아르투어 쇼펜하우어는 부자뿐 아니라 대다수가 불행한 운명에 처했다고 여겼다. 무척 슬프고 비관적인 사람이었던 쇼펜하우어는 적어도 행복해질 기회를 갖고 싶은 사람은 무엇보다도 많은 돈을 멀리해야 한다고 확신했다.

그는 이렇게 말했다.

"부(富)란 소금물과 같다. 많이 마실수록 점점 더 목이 마르다."

그때나 지금이나 돈은 철학에서 그다지 대접을 받지 못한다. 돈이 사람을 행복하게 만들 수 있을까? 이 질문에 요즘은 아리스토텔레스와 쇼펜하우어보다 더 모호하게 대답한다. 최근의 연구에서는 돈과 행복 사이에 어느 정도 연관성이 있다고 보기 때문이다.

연구자들은 얼마나 많은 돈이 행복에 영향을 미치는지에 관심이 있다. 대부분의 사람들은 돈이 많을수록 더 행복하게 느낀다고 말한다. 물론 고정적인 월급이나 특정한 재산이 있으면 더 행복하지만, 그 후에는 1억 원을 벌든 10억 원을 벌든 상관이 없다고 말하는 사람도 있다.

하지만 모든 연구자는 이 한 가지 사실에는 동의한다. 돈이 있다고 반드시 행복하지는 않지만 근심이 적은 것만은 사실이라는 것. 더 내야 할 난방비나 고장 난 세탁기 때문에 걱정하지 않고, 두 팔이 부러지거나 병에 걸려도 경제적으로 안정된 사람은 덜 불행하게 느낀다. 그런 사람은 일단 잘 지낼 수가 있으니까.

하지만 그것만으로 충분할까? 불행하지 않다는 것만으로 행복하다고 할 수 있을까?

사람들은 저마다 다른 일로 행복해한다. 누군가에게는 배낭을 메고 발리나 하와이를 여행하는 일이 세상에서 제일 큰 행복일지도 모른다. 또 누군가는 귀여운 강아지를 보면서 행복감을 느낀다. 자기가 좋아하는 팀이 챔피언스 리그나 슈퍼볼에서 우승하는 걸 보면서 행복해하는 사람도 있다.

이렇듯 행복은 모두에게 각기 다른 모습이다.

매슬로의 욕구 5단계

미국 심리학자 에이브러햄 매슬로는 사람을 행복하게 하는 게 무엇인지 아주 근본적으로 이해하려고 노력했다. 그리하여 욕구 5단계라는 모델을 개발했다. 이 모델은 “돈이 있으면 더 행복해질까? 혹은 행복을 돈으로 살 수 있을까?”라는 우리의 질문에 여러 면에서 도움이 된다.

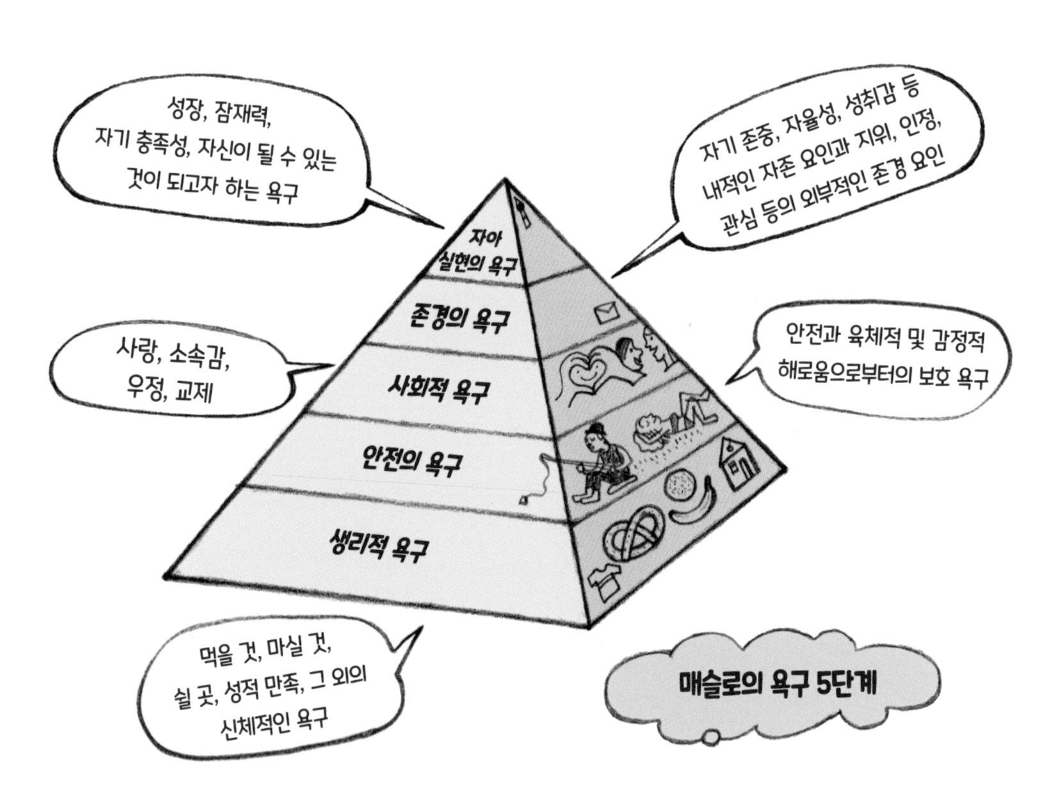

생리적 욕구

우리가 생존하는 데 필요한 모든 것을 말한다. 목마르지 않으려면 마실 것이 있어야 하고, 굶지 않으려면 먹어야 한다. 비에 젖거나 추위에 떨지 않으려면 집이 있어야 한다.

돈만 있으면 콜라와 햄버거, 신선한 오렌지주스를 살 수 있다. 부모님과 함께 산다면? 그 집을 부모님이 돈으로 샀거나 임차료를 내고 있을 것이다. 이렇듯 먹기, 마시기, 거주하기 등의 기본적인 욕구는 돈으로 모두 충족할 수 있다. 여기까지는 아주 단순하다.

안전의 욕구

먹을 것과 마실 것이 충분하고 집도 있다고? 좋다, 그럼 지금부터는? 매슬로에 따르면, 내면에서 새로운 욕구가 생겨난다. 바로 안전의 욕구다. 여러분은 오늘뿐 아니라 내일도, 일 년 후에도 안전하기를 원한다. 내일 아이스티를 마실 수 있을지, 또 일 년 후에 집세를 낼 수 있을지 걱정하지 않아도 될 만큼 돈을 충분히 번다면 안전의 욕구를 해결하는 데 크게 도움이 된다.

사람들은 대부분 안전한 거리에, 안전한 도시에, 안전한 나라에 살고 싶어 한다. 여러분이 안전하지 않다거나 위협을 받는다고 느끼면 긴급 전화를 할 수 있다. 그러면 경찰이나 구급차가 달려올 것이다.

경찰은 백만장자에게도 가고, 구급차

는 돈이 없는 사람에게도 간다. 이런 경우는 돈과 관련이 있다기보다 국가가 모든 사람의 안전을 돌보는 나라에서 태어나는 행운을 누렸는지에 달려 있다. 경찰과 구급 대원은 여러분이 낸 세금으로 월급을 받으니까.

안전의 욕구에는 건강도 포함된다. 여러분은 건강한 영양 공급을 위해 평생 동안 아주 많은 돈을 지불할 수도 있다. 암과 같은 중병이든, 가벼운 감기든 여러분이 가진 돈과는 관계없이 병에 걸린다. 또한 방이 다섯 칸 있는 전원주택에 살든, 방 한 칸짜리 원룸에 살든 사다리에서 떨어지면 사는 곳과 상관없이 다리가 부러진다.

그렇다면 안전을 돈으로 살 수 있을까? 건강은 돈으로 살 수 없다. 피라미드의 둘째 단계에서 이미 돈으로 행복을 충족하기가 어려워지기 시작한다.

사회적 욕구

여러분은 학급에서 친구들의 중심에 있는지……. 아니면 한쪽 구석에 있는 듯 없는 듯 조용히 있으려나? 사람은 누구나 타인과의 친밀감이 필요하다. 사람에 따라 정도의 차이는 있겠지만 아예 없어도 되는 사람은 없다. 외로움은 흡연이나 스트레스만큼이나 사람들을 깊이 병들게 할 수 있다.

그렇다면 사회적 욕구를 돈으로 충족할 수 있을까? 물론 친구나 낯선 사람을 집으로 초대할 수는 있다. 그러나 그건 영화가 상영되거나 여러분의 집에 피자가 많은 동안에만 가능하다. 누군가 여러분이 사 주는 것 때문에 옆에 있다면 그게 진실한 우정이나 사랑일까? 아마도 아닐 것이다.

매슬로가 말한 대로라면, 사회적 욕구는 돈으로 충족할 수 없다. 일시적으로 친밀한 사람을 살 수는 있지만 진정한 친구와 진정한 사랑, 진정한 친밀함에는 가격이 매겨져 있지 않다. 그런 걸로 따지기에는 너무나 소중하기 때문이다.

존경의 욕구

여러분은 지금 배가 부르고, 안전하게 느끼고, 친구도 있다. 아주 환상적이다! 잠시 생각을 멈추고 감사하는 마음을 가지길! 안타깝게도 지구상의 많은 사람은 여기까지 오지 못한다. 그런 뜻에서, 이쯤 되면 마음의 평화를 얻고 만족감을 느낄 만도 하다. 그런데도 사람들은 아직 뭔가 빠졌다고 생각한다. 나도 그렇다.

매슬로는 이것을 존경의 욕구라고 부른다. 우리는 군중 속에서 의미 없는 일부가 되기를 원하지 않는다. 뭔가 특별한 존재가 되고 싶고, 남들이 그렇게 봐 주기를 바란다.

여러분과 나의 내면에는 강해지고, 성공을 거두고, 독립적이고, 자유로워지려는 욕구가 있다. 우리는 인간으로서 스스로 만족스럽기를 원한다. 거울을 보면서 여러분의 모습 그대로를 사랑하는 것! 여기까지는 괜찮고 무해하다.

그런데 마치 어떤 역할을 맡은 배우인 듯 남들에게 기꺼이 보이고 싶은 사람으로서 인정과 평가를 바란다. 만약 블록버스터 영화에서 주연을 맡았

다면 아주 굉장한 몸과 엄청난 두뇌, 탁월한 자동차가 필요할 것이다. 이 책의 첫 부분을 떠올려 보라.

나는 이십 대 중반에 포르쉐를 타고 쏘다니면서 타인의 눈에 비친 내가 한없이 멋질 거라고 생각했다. 내가 그 사람들을 알든 모르든, 그 사람들의 생각이 나에게 중요한지 아닌지조차 상관이 없었다. 그래서 운전면허를 잃은 후에도 계속 그 차를 운전했다. 포르쉐를 탄 내 모습을 보이는 것이 법을 지키는 것보다 더 중요하다고 여겼다.

그나마 소셜 미디어가 없었다는 것이 그 당시의 유일한 장점이었다. 그 생각을 하면 지금도 속이 마구 메슥거린다. 내가 포르쉐를 타고서 셀카를 찍은 뒤 '#운전면허없이시속180'이라고 포스팅하고, 수백 명이 '좋아요'를 눌렀더라면 내가 또 어떤 짓을 벌였을지 상상만 해도 끔찍하다.

낯선 사람이 여러분에게 "우아, 멋진 자동차! 멋진 운동화, 멋진 여행, 멋진 스테이크!"라고 말하는 것이 정말로 중요한가? "우아, 멋진 여자 친구, 멋진 남자 친구, 멋진 이두박근, 멋진 허리. 그렇게 많이 마시고도 쓰러지지 않다니, 대박이야. 그런데도 이렇게 일을 많이 하다니 굉장해." 남들이 여러분을 이렇게 보는 것이 중요한가?

아니면 여러분에게 "사랑해."라거나 "좋아해. 네가 내 인생에 존재한다는 사

실이 매우 기뻐."라고 말하는 사람이 있다는 것이 중요한가? 혹은 여러분이 거울 앞에 서서 자신의 눈을 깊게 들여다보며 "내 인생은 정말 좋아."라고 말할 수 있는 것이 중요한가?

물론 살다 보면 멋진 몸과 멋진 자동차를 소유하고 멋지게 취함으로써 단기적으로 자신을 행복하게 만드는 것이 좋다고 느끼는 단계가 있다. 초콜릿을 먹든, 포르쉐를 타든 원칙상으로는 똑같다. 여러분이 초콜릿을 먹거나 포르쉐에 앉아 있는 동안은 일단 행복할 것이다. 그러니까 여러분이 위에서 말한 온갖 멋진 항목—멋진 자동차, 멋진 여자 친구—에 고개를 끄덕였다고 해도 괜찮다.

이런 것들은 얼마간은 분명히 행복하게 만들어 준다. 하지만 감상적인 항목—"좋아해." 또는 "사랑해."—에 고개를 끄덕였다면, 여러분은 오래오래 '행복'해질 기회가 있다.

자아실현의 욕구

좋다, 이제 최종 단계다. 자아실현보다 더 훌륭해질 수는 없다. 여러분은 모든 것이 제대로 돌아갈 때 자기 자신일 수 있는 사람이길 희망한다. 자신이 원하는 것과 원하지 않는 것이 무엇인지 알 만큼 스스로를 잘 알게 되었다고나 할까. 자기가 무엇을 잘하는지 알아차리고, 모든 재능과 잠재력을 완벽하게 발휘할 수 있으며, 그것으로 돈까지 벌 수 있는 일을 찾았다면? 우아, 짱이다!

자아를 실현하다……. 단거리 선수가 올림픽 경기에서 금메달을 따면 이런 느낌이 들 것이다. 모든 노력에 보상을 받는 순간이며 최종적인 승리라 할 수 있다.

발명가는 갑자기 온 세상이 자신의 제품 때문에 완전히 정신을 잃고 본인은 엄청나게 부자가 되면 자아를 실현한다고 느낀다. 하지만 사적으로도 행복할까? 누군가 본인의 제품보다 더 나은 제품을 발명한다면 어떻게 될까?

사실 자아실현을 하는 순간은 매우 드물다. 하루 24시간, 일주일에 7일, 평생토록 자아실현을 할 수 있는 사람은 아무도 없다. 결단코 아무도! 그만큼 금방 지나가므로 우리가 감사해야 할 소중한 순간이다. 이 세상의 그 어떤 돈도 단거리 선수가 금메달을 지킬 수 있게 지속적으로 동기 부여를 할 수 없다. 발명가 역시 세상을 바꿀 아이디어를 제발 다시 한번 달라고 자기 뇌를 돈으로 매수할 수 없다.

자, 고대 그리스부터 매슬로의 욕구 피라미드를 통과하기까지 매우 긴 여정이었다. 여기서 핵심은 돈만으로는 행복해질 수 없다는 거다. 돈은 걱정을 최소화하지만 욕구를 충족시킬 도구가 되지는 못한다. 이상하게도 장기적인 행복보다 단기적인 행복에서는 돈만으로도 꽤 큰 도움이 된다. 어쩔 수 없이 우리 인간은 여전히 10만 년 전처럼 석기 시대의 뇌 상태로 돌아다닌다. 그때 사람들은 매머드를 한 마리 잡거나 아주 커다란 돌을 찾아내면 행복해했다. 동굴에서 살던 원시인이 자아실현에 대해 고민하지는 않았을 것이다. 물론 그들은 부모님보다 더 부유해지기 위해 전략을 짤 필요도 없었다.

잘 기억하자. 재미만 줄 뿐 다른 것이라고는 전혀 없는 허튼 짓에 너무 많은 돈을 쓰면 장기적으로 행복해지기 힘들다.

10% 10% 10% 10% 10% 10% 10%

··○ 작은 즐거움을 포기하는 사람이 큰 것을 얻는다, 10% 규칙

앞에서 배운 모든 것은 기초적인 규칙들이다. 내가 여러분에게 설명하고 싶은 것은 모두 이 규칙들을 따른다. 1만 원이든 10억 원이든 마찬가지다. 이 길을 가면 갈수록 여러분은 내가 같은 말을 반복한다고 느낄 것이다. 그 느낌이 맞다.

이미 배운 것은 바로바로 적용하고 반복해야 한다. 처음에 위험 부담이 없을 때 경험해 봐야 한다. 나중에 위험 부담을 안고서도 성공을 거두는 투자자로 만들어 줄 경험들을 일단 지금 해 보아야 하는 것이다. 기본 규칙을 내면화하고 습관으로 만들어야 한다.

처음에는 어렵다. 하지만 매일매일 조금씩 조금씩 쉬워질 것이다. 힘든 점은 딱 하나뿐이다. 매일매일 해야 한다는 것! 기본 규칙을 습관처럼 만드는 데 성공한다면 조금씩 더 큰 규모로 적용해 나가는 거다.

첫 10억 원에 이르도록 하는 데 습관이 되어야 할 규칙은 바로 '10% 규칙'이다. 으, 짜증스러워지기 전에 소소하지만 동기 부여 주사를 한 대 맞도록 하자.

10% 규칙이란, 여러분이 가진 돈 중에서 10분의 1을 남기는 것이다. 이 돈은 훗날 투자에 사용하는 적립금으로 쓰이게 된다. 생일에 받은 용돈의 10%, 첫 아르바이트로 받은 수입의 10%, 첫 사업(?)으로 얻은 수익의 10%……. 이 돈으로 나중에 더 많은 돈을 벌게 된다.

첫 10만 원에서 1만 원을 남기는 데 성공한다면, 100만 원에서 10만 원도 남길 수 있다. 여러분에게 들어오는 액수가 어떻든 상관없다. 그 돈으로 무언가를 하기 전에 무조건 10%를 남겨 두는 거다.

어쩌면 부당하다는 생각이 들지도 모른다. 처음으로 돈을 벌었는데, 전부 다 쓰지 못하게 하고 일부를 남기라고 하니까. 미안하다. 하지만 작은 즐거움을 포기하는 사람만이 큰 것을 이룰 수 있다.

……○ 소비한테 바보같이 통제당하지 말자

부유해지고 싶다면 돈에 대한 관리가 꼭 필요하다. 얼마가 들어오고 얼마가 나가는지, 돈의 흐름을 이해하지 못하면 절대로 조절할 수가 없다.

한 달 동안 가계부를 써 보라. 수입과 지출을 모두 기록한다. 학교 앞 카페의 소시지 빵을 비롯해 요거트 스무디, 햄버거, 버스 요금 등 뭐든지 다 쓴다.

스마트폰의 메모 앱을 사용하면 아주 간단하다. 월말에 가계부를 살펴보면 돈이 어떻게 쓰였는지 한눈에 알 수 있다. 여러분의 계좌에서 마법으로 돈이 사라진 것이 아니다. 훔쳐 간 사람은 아무도 없다. 모두 여러분이 지출한 것이다.

그렇다고 걱정할 것까진 없다. 나는 여러분이 아침에 샤워할 때 흘러내린 물을 양동이에 담아 두었다가 그걸로 달걀을 삶은 다음에 남은 물을 커피 머신에 넣기를 원하는 것이 아니다. 여러분이 기쁨이라고는 전혀 없는 슬픈 삶을 살기를 바라지도 않는다. 소비가 여러분을 통제하는 것이 아니라 여러분이 소비를 통제하기를 바랄 뿐이다.

가계부를 위한 간단한 비결이 있다. 지출마다 '원' 또는 '필'이라고 쓰는 거다. '필'은 필요한 것. 꼭 필요한 지출이란 게 있다.

양말이 해지면 새 양말이 '필요'하다. 볼펜을 다 쓰면 새 것이 '필요'하다. 배가 고프면 초콜릿바든 피자든 뭔가 먹을 것이 '필요'하다. 이런 지출은 필요하다. 필요한 것에는 돈을 지출해야 한다. 아낄 수도 없고, 아껴서도 안 된다.

'원'은 원하는 것. 여기서 분홍색이나 초록색이 좋아서 검은색 양말이 싫어진 거라면 그건 새 양말을 '원하는' 것이다. 저녁 식사 때까지 기다리기 싫어서 피자를 주문하는 것도 '원해서' 그런 거다.

가지고 있는 아이폰이 잘 작동하는데도 사진이 더 잘 찍힌다거나 액정 화면이 더 크다는 이유로 새 것을 원한다면? 그건 딱 '필요'한 건 아니지만 새 스마트폰을 '원하는' 것이다.

간단하게 말하면 다음과 같다. 꼭 있어야 할 품목은 필요하니까 가계부에서 '필'이다. 이 지출은 기꺼이 허용된다. 하지만 기분을 전환시키거나 잠깐 기분 좋게 만들어 주기 위한 것은 '원'이므로 엄격하게 금지하는 것이 좋다.

사실 정말 필요한 것과 그저 원하는 것은 상황에 달려 있는 경우가 많다. 네 가지 아이스크림에 네 가지 소스와 각종 플레이크, 체리를 듬뿍 얹은 다음에 휘핑크림을 잔뜩 올린 아이스크림을 예로 들어 보자.

뭔가 축하할 일이 있거나 너무나 형편없는 날에 기운을 차리기 위해 이 엄청난 아이스크림을 먹는다. 이 상황에서는 아이스크림이 '필요'하다. 이 빌어먹을 순간에는 아이스크림을 핥는 일이 세상에서 최고이기 때문이다. 그럴 땐 그냥 먹어라! 이 경우에는 가계부에 '필'이라고 쓰는 게 맞다.

우리가 살아가는 데 축하할 일이 매일 생기지는 않는다. 그런데 짜증이 나는 일은 매일매일 일어날 수도 있다. 다른 방법으로는 좌절을 다스릴 수 없어서 이런 아이스크림이 날마다 '필요'하다면 얼마 지나지 않아 당뇨병에 걸리고, 주머니도 텅 비게 될 것이다. 두 가지 모두 원하지 않는 일일 테지만.

소비가 여러분을 통제하기 전에 여러분이 소비를 통제하라. 진짜로 '필요'한 것에는 망설이지 말고 기꺼이 지출하라. 더구나 여러분을 행복하게 만들어 주는 항목에는 반드시…….

스스로에게 솔직해지자. 흡연자들은 날마다 담배 피우기를 '원'한다. '필'요해서가 아니라 중독이기 때문이다. 소비와 설탕은 흡연이나 음주처럼 중독이다. 중독의 건강한 반대는 포기가 아니라 의식적인 소비다.

가계부에서 '원'이라고 표시된 항목을 자세히 살펴보라. 다음 달에는 그중의 절반을 줄이겠다고 결심하는 거다. 나는 여러분이 저축할 10%를 건지게 될 거라고 확신한다.

지출을 할 때마다 심호흡을 하는 것도 좋은 방법이다. 일 초 동안 숨을 멈추고 내면의 소리에 귀를 기울이는 거다. 내가 이 옷을 '원'하는 건지,

아니면 꼭 '필요'한 건지……. 솔직하게 말해서 이미 옷장에 비슷한 옷이 열 벌쯤 있지 않나? 이 테이크 아웃 커피는 꼭 필요한 것인가? 어제 새벽 2시까지 게임을 한 탓에 지금 나른한 건 아닌지…….

여러분은 필요한 물품이 얼마나 적은지, 또 원하는 물품이 얼마나 많은지 금방 깨닫게 될 것이다. 원하는 것을 포기하는 데 일단 한 번 성공한다면 충분히 자랑스러워해도 좋다! 열 번 성공하면 옷이든 아이스크림이든 자신에게 마음껏 사 주자. 백 번 성공하면 이렇게 하기가 정말로 쉽다는 걸 저절로 깨닫게 된다.

쉬운 계획부터 찬찬히, 습관의 힘

부란, 단지 재산의 축적을 넘어 사고방식이라고 생각한다. 돈 말고도 만족감이나 우정, 사랑처럼 많은 것이 우리를 부유하게 만들 수 있다. 습관은 돈 이외의 경우에도 크게 도움이 된다.

12월 31일에 하는 결심은 왜 매번 잘 지켜지지 않을까? 항상 밤 12시 전에 잠자리에 들고 아침 7시에 반드시 일어나겠다고, 등교하기 전에 꼭 아침밥을 먹겠다고, 하루에 삼십 분씩 책을 읽겠다고, 설탕이나 지방이 많이 든 음식은 절대로 먹지 않겠다고 다짐을 하곤 한다.

이런 결심은 차라리 아예 하지 않는 것이 좋다. '항상'이나 '절대', '반드시', '꼭' 과 같은 말을 포함하는 결심을 끝까지 지키는 사람을 본 적이 없다. 좀 더 쉽게 계획을 세우는 편이 낫다.

"책을 매일 1쪽씩 읽겠다." 그러면 전혀 읽지 않는 것보다 1쪽을 더 읽는 셈이다. 다음 해에는 예전의 결심보다 두 배로 늘린다. 매일 2쪽씩 읽는 거다. 일 년이면 700쪽이다. 그다음 해에 다시금 두 배로 늘린다. 일 년에 2,000쪽이 된다. 몇 년 지나지 않아 일 년에 이십 권을 읽는 것이다. 속도는 느리지만 독서량이 지속적으로 증가한 셈이다.

단기간에 뭔가를 하다가 그만두는 것보다는 장기적으로 하면 얻는 것이 더 많다. 체중을 급하게 줄이려고 다이어트를 하면 요요 현상이 생긴다. 짧은 기간에 운동을 아주 많이 하고 끼니를 굶으면 체중이 줄어든다.

하지만 운동과 단식이라는 새로운 습관을 금방 포기하는 순간, 똑같은 속도로 다시 살이 찐다. 결과적으로는 다이어트 전보다 체중이 더 늘어나게 된다.

너끈히 상상할 수 있는 긍정적인 목표가 필요하다. 이것을 왜 하나? 공부를 하는 이유가 뭔가? 나이 들어 퇴직한 후에 빈병을 모으고 다니게 되리라는 불안한 상상 같은 건 아예 하지 않는 게 좋다.

그 대신 호숫가의 방갈로 테라스에서 레드와인 한 잔을 손에 들고 강아지 세 마리와 함께 느긋하게 앉아 있는 모습을 상상하라. 주변의 숲에서는 어떤 향기를 풍기는가? 호수는 어떤 색깔을 띠고 있을까? 손을 담그면 어떤 느낌이 드는가?

좋은 느낌을 생각하고, 삶의 목표를 시각화하라. 시각, 청각, 미각, 후각, 촉각 등 오감을 모두 동원하는 것이 좋다. 목표가 클수록 상상도 구체적이어야 한다!

처음에는 쉽게 하라. 책이 읽기 싫다면 오디오북을 들으라. 발췌문이나 줄거리 요약을 들어도 괜찮다. 넷플릭스에서 영화로 만들어진 것을 찾아 시청하라.

여러분이 관심을 갖는 것, 여러분을 앞으로 나아가게 하는 것을 읽고, 듣고, 시청하라. 학교에서와는 달리, 여가 시간에는 여러분이 배우고 싶은 것을 마음껏 골라도 된다.

자신을 위한
뭔가를 매일 하라!
실수해도
괜찮아!

성장을 하려면 실수를 해 봐야 한다

학교에서 일어나는 일 중에서는 실수를 하는 것이 가장 나쁘다. 아주 독특한 아이디어를 내는 사람이 아니라 실수를 적게 하는 사람이 학교 성적이 제일 좋다.

학교에서 우리는 최소한의 실수만 하도록 길러진다. 그런데 실수를 하지 않고서 어떻게 뭔가를 배울 수 있으랴? 절대로 그럴 수는 없다!

아기들이 처음 이 년 동안 배우는 것들은 매우 인상적이다. 걸음을 걷고 말을 하면서, 자기가 전혀 알지 못하는 세상에서 하나하나 방향을 잡아 간다. 실수를 할 때마다 벌을 준다면 아기가 그 과정을 제대로 익힐 수 있을까?

아기들은 잘해 내지 못해도 혼나지 않는다. 하지만 아기가 아이가 되면 더 이상 실수가 용납되지 않는다. 청소년이 실수하면 거의 죽을죄를 지은 죄인 취급을 받는다.

성인은 실수를 무조건 창피하다고 여기기 때문에 그와 관련된 말을 아예 꺼내지도 않는다. 말하자면 아이와 청소년과 성인은 실수를 할까 봐 불안감에 감싸여 있는 셈이다.

그래서 너나없이 실수를 하지 않는 상황에서만 움직이려 한다. 어떻게든 안전지대에 머물려고 한다. 짝사랑하는 상대에게는 결코 말을 걸지 않는다. 거절당할까 봐 두렵기 때문이다. 무용수나 화가나 가수가 되고 싫다고 말할 용기도 내기가 어렵다. 사람들이 웃음을 터뜨리며 "밥벌이를 제대로 할 수 있는 일을 찾아."라고 말할까 봐 겁이 나니까.

실수에 대한 훈련된(!) 불안이 우리를 자꾸만 막아선다. 투자를 할 때도 마찬가지다. 그런데…… 실수해도 괜찮다.

부모님이나 부모님의 지인들에게 물어보라. 주식을 해 본 사람이라면 분명히 안 좋은 경험에 대한 기억을 가지고 있을 것이다. 누구나 마찬가지다. 많은 돈을 잃으면 마음이 아프다! 그렇다고 투자를 포기해야 할까? 그럴 리가!

실수해도 된다. 성장을 하려면 실수해야 한다. 인간으로서, 그리고 투자자로서 둘 다.

·······○ 은행을 맹목적으로 믿지 말라

여러분이 매트리스 아래 숨기지 않고 은행에 가져간 돈은 어떻게 될까? 물품 보관함에 들어가서 여러분이 다시 찾을 때까지 얌전히 기다릴까? 그렇지 않다. 은행은 여러분의 돈으로 그들이 원하는 일을 한다. 그리고 여러분은 그들이 뭘 하는지 모른다.

모든 은행에는 온 마음을 다해 조언하는 직원들이 있다. 그들은 자기 은행에서 제공하는 금융 상품에 꽁꽁 묶여 있다. 은행에 알맞은 금융 상품이 없다면 그 누구도 여러분에게 함부로 권할 수 없다.

은행 직원을 대할 때는 자의식을 가지고 있어야 한다. 훌륭한 직원은 10만 원이든 1,000만 원이든 상관없이 여러분에게 최상의 것을 제안하려고 할 것이다. 그러니까 진지한 대접을 받지 않는다고 느껴진다면 그 은행에서 곧장 나와야 한다. 일정한 재산 수준 이상이라야 잘 대해 주는 직원은 여러분의 돈을 맡을 자격이 없다.

……○ 어느 날 현금이 가득 든 돈 가방이 생긴다면?

여러분이 여행 가방 한 가득 현금을 가지고 있다고 상상해 보자. 이 돈을 들고 어디로 가야 할까? 은행에 가서 입금을 할까? 아니! 보험에 넣을까? 그건 나중에 필요할 때 하면 되지. 그러면 오늘은 이 돈으로 무엇을 할까? 특히나 돈을 더 늘리고 싶다면?

여러분은 같은 거리에 있는 빵집 주인이 장사를 무척 잘한다는 사실을 알고 있다고 치자. 치즈 케이크 한 조각을 사려면 매번 이십 분이나 줄을 서야 해서 짜증이 훅훅 치민다.

하지만 너그러이 이해한다. 빵집 주인을 위해서는 장사가 잘되는 것이 좋으니까. 사실 뭐, 여러분 덕분이기도 하다. 그렇다면 빵집 주인이 만드는 이 탁월한 치즈 케이크에서 여러분도 이익을 볼 방법이 없을까?

자, 지금 빵집으로 가서 가게 문을 열어 보자. 영업을 마치기 직전이어서 가게에는 여러분과 빵집 주인뿐이다. 여행 가방을 판매대에 올려놓고, 빵집 주인에게 돈을 보여 준다.

"사랑하는 제빵사님, 제가 이 가게 운영에 참가하고 싶습니다."

주인이 대답한다.

"왜 갑자기?"

"여기 치즈 케이크가 세상에서 제일 맛있으니까요."

"오, 고맙군!"

“이 주 전에 가게 안쪽을 제가 가장 좋아하는 색깔로 칠한 것도 마음에 들어요. 사랑하는 제빵사님, 가게를 언제나 더 아름답게 만들려고 노력하시네요. 혹시 다른 계획도 있나요?”

“가게 뒤에 테라스를 만들고 싶어. 그러면 햇살이 좋은 날, 손님들이 커피와 케이크를 가지고 바깥에 앉아 있을 수 있잖아.”

“그런데 왜 안 하시는 거예요?”

“아직은 돈이 없어.”

“제가 마침 돈 가방을 가져와서 정말 다행이네요! 테라스를 만들기에 딱 맞을 거예요. 의자와 탁자, 파라솔, 예쁜 화분까지 포함해서 말이에요.”

“나에게 돈을 빌려주겠다고?”

“아니요, 이 빵집에 출자하고 싶어요.”

“그게 무슨 뜻이지? 빌려주는 것과 뭐가 다른데?”

"제빵사님이 테라스를 지을 수 있게 돈을 드릴게요. 아, 돌려주실 필요는 없어요. 그 대신 가게에서 제빵사님이 버는 수입에 대해 지분을 받고 싶어요. 치즈 케이크로 매일 버는 돈에서 얼마를 책정해 저에게 주시면 돼요. 어때요?"

빵집 주인은 기꺼이 동의한다. 그는 치즈 케이크로 벌어들인 돈에서 얼마—제조 비용과 인건비, 그 외 기타 비용을 빼고—를 여러분에게 건네기로 한다. 둘은 계약서를 쓴다. 이제 여러분은 그의 사업에 참여하여 지분을 얻는다. 그가 치즈 케이크로 벌어들이는 돈의 일부를 받는다. 오늘도, 내일도, 영원히.

모든 출자는 이런 식으로 이루어진다. 한쪽은 돈을 가지고 있고, 다른 한쪽은 그 돈이 필요하다. 돈이 있는 사람은 그 돈을 빌려주거나 증여하는 방식으로 돈이 필요한 사람의 사업에 참가한다. 잘될 경우에 둘이 함께 돈을 늘릴 수 있다.

앞에서 든 예의 경우, 테라스를 만든 후 여름에 손님이 두 배로 늘어난 데다 다들 치즈 케이크를 주문한다. 빵집 주인은 그만큼 돈을 많이 번다. 치즈 케이크를 팔아서 얻은 수익의 일부를 여러분에게 주고, 여러분은 일 년 안에 테라스를 짓는 데 출자한 돈을 모두 돌려받는다. 이제부터는 진짜로 돈을 벌게 된다. 빵집이 존재하는 한 계속 버는 것이다.

여러분은 빵집 규모가 아주 작을 때 출자를 했다. 위대한 미래가 있으리라고 믿었다. 여러분의 직감이 옳았다! 그런데 이것은 가장 좋은 경우이다.

가장 나쁜 경우는 어떨까? 여러분은 빵집 주인에게 돈 가방을 맡기고 가게를 나선다. 다음 날 그가 가게에 일하러 나오지 않는다. 문에는 '휴가 중'이라는 메모가 붙어 있다. 여러분은 일주일, 일 개월, 일 년을 기다린다. 하지만 다시는 빵집 주인을 보지 못한다. 그가 돈을 가지고 도망친 것이다.

빵집은 그대로 망한다. 빵집에 대한 여러분의 지분은 이제 더는 가치가 없다. 빵집 주인이 단 하나의 치즈 케이크도 팔지 않았으니까. 여러분은 돈을 다 잃어버린 거다.

어딘가에 돈을 출자했을 때 현실 세계에서 일어나는 일은 보통 이 두 가지 경우의 중간쯤 어딘가에 놓여 있다. 나쁜 쪽보다 좋은 쪽이 최소한 한 번이라도 더 많도록 몇 가지 조언을 해 주겠다. 여러분에게는 아직 좋아하는 빵집의 주인에게 테라스를 지어 줄 만한 돈이 없으므로 조언이 꼭 필요하다.

믿을 만한 기업에만 투자하라

앞에서 사업으로 부자가 된 두 사람을 소개했다. 한 명은 아이폰으로 전 세계를 사로잡은 스티브 잡스, 다른 한 명은 자기 방을 국제적 마약 거래소로 바꾼 샤이니 플레이크스다. 한 명은 모두가 원하는 것을 발명했다. 다른 한 명은 아마존에서는 절대로 살 수 없기에 많은 사람이 큰돈을 주고서라도 갖고자 했던 마약을 은밀히 거래했다.

두 사람에게서 배울 수 있는 것은 그들이 부에 이르는 길은 우리에게 부분적으로만 본보기가 된다는 점이다. 보통 사람들은 세상을 뒤바꿀 만한 아이디어가 없거나 '십 대에 마약 왕'이 될 범죄 에너지가 충분하지 않다.

하지만 우리 평범한 사람들도 부유해지고 싶은 욕망이 있다. 어떻게 하면 그렇게 될 수 있을까? 그동안 살아오면서 혁명적인 것을 발명하지도 않았고, 많은 사람들이 큰돈을 지불하려는 물품을 거래하지도 않은, 그러니까 우리와 거의 비슷한 사람을 살펴보는 것에서부터 시작해 보자.

보잘것없는 환경에서 일하다가 전 세계에서 제일가는 부자 가운데 한 명이 된 사람이다. 정확히 말하면, 그는 자기 돈을 타인의 회사에 투자하여 엄청난 돈을 벌어들였다.

타고난 투자자, 워런 버핏

부자가 될 소질을 타고난 사람들이 많다. 예를 들면 워런 버핏이 그런 사람들 중 한 명이다. 그는 6세이던 1936년에 코카콜라 여섯 개들이를 25센트에 사서 한 병에 10센트씩 받고 팔았다.

15세에는 중고 핀볼 기계를 사서 여러 군데의 이발소에다 설치한 뒤 돈을 받았다. 17세에는 망가진 롤스로이스를 350달러에 사서 말끔히 수리한 다음, 하루에 35달러를 받고 사람들에게 빌려주었다.

마침내 32세에는 백만장자가 되었다. 섬유 공장 '버크셔 해서웨이'를 사서 차근차근 지주 회사로 바꾸었다. 버핏은 이 회사를 통해 주식을 대량으로 거래하기 시작했다.

그는 '가치 투자'를 대표하는 인물인데, 투자를 할 때 세 가지 규칙을 반드시 지킨다. 첫째, 자기가 이해하는 사업 모델을 지닌 회사에만 투자한다. 둘째, 훌륭한 매출과 훌륭한 자기 자본, 적은 빚 등 경제적 상황이 좋은 회사에만 투자한다. 셋째, 회사 책임자들이 유능하고 정직해 보일 때만 투자한다.

버핏은 이 규칙을 기준으로 저렴하게 주식을 사서 그 회사가 발전하기를 수십 년 동안 기다렸다가 주식을 비싸게 팔 수 있는 회사를 발견하려고 노력한다.

현재 억만장자인데도 버핏은 1958년에 사들인 작은 집에 여전히 살고 있다. 그는 매우 검소하다는 평가를 받고 있으며, 돈의 대부분을 재단에 넣는다. 버핏 재단은 전 세계에 피임약을 나눠 주고, 여성들의 안전한 낙태를 돕는 데 힘을 쏟는다.

버핏은 지금까지 매일 아이스크림과 콜라로 아침 식사를 하는 것을 자랑스러워한다. 그는 언젠가 이런 말을 한 적이 있다.

"가장 낮은 사망률을 보이는 나이는 6세 이하입니다. 그래서 그런 아이들처럼 먹기로 했습니다."

100세 시대를 살아가는 요즘, 귀담아들을 만한 이야기라는 생각이 든다. 어쨌거나 여기서 중요한 것은 믿을 만한 기업에만 투자해야 한다는 거다.

주식을 하면 세상이 달리 보인다

여러분이 회사에 참여할 수 있는 가장 간단한 방법은 주식이다. 주식을 사면 그 기업의 아주, 아주, 아주, 아주 작은 부분이 여러분의 것이 된다. 예를 들어 맨체스터 유나이티드의 주식을 산다면 여러분이 좋아하는 선수의 손톱 반쪽이 여러분의 것이 될 수도 있다.

여러분이 폭스바겐 주식 하나를 산다면 볼프스부르크 본부 공장의 나사 한 개가 여러분의 것이다. 아디다스 주식 하나를 산다면 신발 끈 하나가, 스타벅스 주식 하나를 사면 커피 콩 한 알이 여러분 소유가 되는 셈이다.

사실은 이보다 좀 더 복잡하다. 주식 하나로는 훨씬 더 적게 소유하지만 일단은 커피 콩 한 알, 신발 끈 하나, 나사 한 개, 손톱 반쪽이라고 가정해 보자.

주식은 기본적으로 어떤 회사의 지분을 가지고 있다는 확인이자 문서다. "우리 회사는 이 주식의 소유자가 우리 회사에 아주, 아주, 아주, 아주 작은 지분을 가지고 있음을 확인합니다."라는 뜻이다.

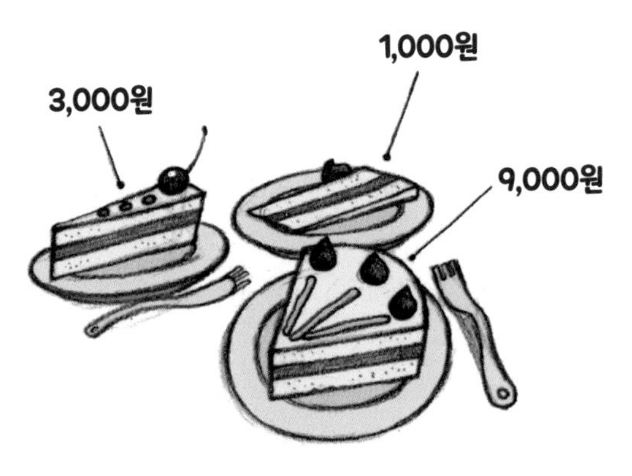

주식을 소유한다는 건 그

회사의 미래를 믿는다는 뜻과 같다. 여러분이 오늘 주식을 사는 건 주가가 올라서 나중에 비싸게 팔 수 있다고 믿기 때문이다. 기업의 가치가 올라 더욱더 성공하리라고 믿으므로 그렇게 하는 것이다.

여러분은 사람들이 늘 커피를 즐겨 마실뿐더러 앞으로도 그럴 거라고 생각하면서 스타벅스를 믿는다. 하지만 이걸 보장해 줄 수 있는 사람은 아무도 없다. 어쩌면 내일 커피가 사람을 멍청하게 만든다는 걸 증명하는 혁신적인 연구가 나올지도 모른다. 그러면 사람들이 스타벅스에 발길을 딱 끊고 주식을 다 팔아 버릴 것이다. 그러면 곧바로 주가가 뚝뚝 떨어진다.

주식 하나의 가격과 그 가치는 아무런 상관이 없다. 무엇보다도 기업이 어떤 상태인지에 대해서 전혀 알 수가 없다. 주식을 얼마나 발행할지는 기업들 스스로 결정한다.

한 기업의 시가 총액은 모든 주식을 합한 가치를 나타낸다. '버크셔 해서웨이' 주식 한 개는 2024년 6월 현재 약 406달러(약 565,000원)이다. 애플 주식은 210달러니까 거의 반값이다.

사실 이것은 아무 의미가 없다. 애플은 주식 한 개의 값을 단지 버크셔 해서웨이와 다르게 결정했을 뿐이다. 증권 거래소에서 거래되는 양을 더 작은 조각으로 나누었다. 그래서 애플의 작은 조각을 다 합치면 워런 버핏의 큰 조각들보다 시가 총액이 더 높다.

복잡하게 들린다고? 더 간단하게 얘기해 보자.

스테이크는 10만 원이고, 빅맥은 5천 원이다. 스테이크는 빅맥보다 스무 배 비싸다. 그런데 맥도날드는 매일 수백만 개의 빅맥을 판매한다. 스테이크는 그에 비할 수 없이 적게 팔린다. 전 세계의 빅맥을 합하면 전 세계의 스테이크를 합한 것보다 값어치가 훨씬 더 나간다.

빅맥을 너무 오래 생각하다가 여러분 입안에 침이 고이기 전에 왜 스테이크가 아니라 맥도날드의 주식을 사야 하는지 설명하는 편이 좋겠다.

나는 여러분이 일찌감치 기업의 주식에 투자해야 한다고 생각한다. 첫째, 기업들이 어떻게 돈을 버는지 알아야 하기 때문이다. 주식을 소유하면 세상을 다른 눈으로 보게 된다.

맥도날드 주식을 예로 들어 보자. 주식 소유자로서 비판적인 눈으로 빅맥을 먹는다.

'종이 포장 버거로 매년 수십억 달러를 번다고?'

여러분 동네에 있는 지점을 둘러보면서는 이런 생각을 할 것이다.

'여긴 전혀 쾌적하지가 않네. 플라스틱이 아니라 목재로 벽을 마감했다면 손님이 더 많이 올 텐데.'

버거킹에서 햄버거를 먹을 땐 이런 생각을 할지도 모른다.

'여기 버거가 더 나은가? 내 친구들이 모두 여기로 오는—또는 전혀 오지 않는—이유가 있을까?'

어쩌면 저렴한 고기를 위해 대량으로 사육되고 도살되는 소들을 다룬 동물 보호 협회의 비디오를 보고, 길모퉁이에 있는 유기농 버거 가게의

버거 가격이 빅맥보다 비싼 이유를 깨달았을 수도 있다. 또 외국에 있는 맥도날드에 가면 빅맥의 가격이 절반일 수도, 두 배일 수도 있다.

나는 여러분이 주식을 소유하는 순간, 세상에서 가장 지루한 뉴스가 갑자기 여러분이 좋아하는 넷플릭스 드라마 시리즈의 시즌 최종회처럼 흥미진진하게 느껴지리라고 확신한다. 투자자의 관점에서 볼 때, 그 뉴스의 '가치'가 훨씬 더 높기 때문이다.

좋은 사업이 무엇인지는 여러분이 결정한다

어떤 회사가 돈을 버는 방식이 괜찮은지 아닌지에 대해서는 여러분 스스로 판단할 수 있다. 나는 많은 사람을 위해 세상을 더 나은 곳으로 만드는 이념을 지닌 회사나, 직원들을 잘 대우하는 회사를 좋아한다.

물론 회사가 사람들이 사기 원하는 것들로 돈을 벌어도 된다고 생각한다. 자동차나 술도 거기에 포함된다. 기후 변화나 알코올 중독에는 반대하지만.

내 생각을 여러분의 기준으로 삼을 필요는 없다. 회사가 연소 엔진으로 이산화 탄소를 뿜어내는 자동차를 제조하여 돈을 버는 행위가 옳지 않다고 생각한다면 자동차 회사에 투자하지 않는 편이 좋다. 동물이 학대받는 버거를 사람들이 먹는 것이 옳지 않다고 여긴다면 대형 패스트푸드 체인을 멀리하면 된다. 둘 다 괜찮다고 생각하는 경우에 투자를 하는 거다.

어쩌면 여러분은 포르노그래피와 석유를 사업 모델로 하는 회사를 싫어할 수도, 괜찮다고 생각할 수도 있다. 이 세상에는 반드시 옳은 것도 없고 반드시 그른 것도 없다. 여러분이 '옳음'과 '그름'을 어떤 기준으로 판단하는지가 중요할 뿐이다.

사실 양쪽 모두 훌륭한 논거를 가지고 있을 때가 많다. 일단 여러분의 느낌에 귀를 기울이고, 정보를 모으고, 확신이 서는 쪽을 선택하라.

아주 유명하고 성공적인, 그러니까 전 세계적인 대기업의 경우에는 그들이 어떻게 돈을 버는지 누구나 알고 있다. 맥도날드는 빅맥을, 애플은 아이폰을, 테슬라와 폭스바겐과 도요타는 자동차를 판다. 사우디 아람코와 엑슨모빌은 석유와 가스를, 코카콜라는 코카콜라를, 아마존은 거의 모든 것을 팔고 있다.

화성의 시각을 기억하라. 여러분의 시선은 전 세계를 향해야 한다. 그렇기에 투자하고 싶은 회사를 찾는 일이 그리 쉽지 않다. 그 회사에 투자해도 되는지 알아보는 첫째 기준은 다음과 같다. 오 분 동안 알아보고 나서 그 회사가 무엇으로 돈을 버는지 한 문장으로 말할 수 있나?

아니라고? 그럼 그만두는 게 낫다. 길고 긴 전 세계 회사 목록에서 그 회사를 지운다. 아, 말할 수 있다고? 그러면 여러분은 첫 투자를 위한 후보를 알아낸 것이다.

그다음으로 관심을 가질 것은 그 회사의 대차대조표다. 숫자, 숫자, 숫자라는 말이다. 그렇다고 걱정할 것 없다. 숫자를 이해하는 일은 그다지 어렵지 않다. 해킹 기술이나 비밀

정보로 접근할 액세스 같은 게 필요한 건 아니니까. 매출, 영업 이익, 자기 자본이라는 키워드로 기업의 이름을 검색하면 된다.

이 숫자들이 쉽게 보이지 않는다면 첫 투자를 위한 잠재적 후보 기업 명단에서 지운다. 숫자를 발견하지 못했다고 해서 그 기업이 뭔가를 숨기고 있다거나 파산 직전이라는 뜻은 아니다. 하지만 첫 투자는 쉬울수록 좋다. 스스로를 괴롭힐 필요가 없다. 매출과 영업 이익, 자기 자본의 숫자들을 찾는 데 오 분 이상 걸린다면 그냥 다른 회사를 선택하라.

맥도날드는 빅맥을, 애플은 아이폰을, 테슬라는 자동차를 판다. 그 기업들이 어떻게 돈을 버는지 단박에 이해할 수 있다. 그 회사의 사업 모델을 한 문장으로 요약할 수도 있다. 적어도 이론상으로는 그렇다.

여기서 알아내야 할 것이 있다. 이게 사실인지 확인하는 거다. 이 기업이 실제로도 돈을 버나? 가장 중요한 숫자는 매출이다. 그러니까 회사가 벌어들이는 돈을 말한다.

여러분 동네의 빵집 주인은 치즈 케이크를 한 달에 삼천 개쯤 판다. 치즈 케이크 한 개의 가격은 4만 원이다. 그러므로 일 년 매출은 대략 14억 원이 넘는다.

여러분이 사는 도시의 대형 영화관이 해마다 오십만 장의 표를 판다고 가정해 보자. 장당 14,000원이라면 70억 원이다. 영화관 방문객이 팝콘과 나초와 콜라에 15,000원을 지출한다면 매출은 두 배 이상으로 늘어난다.

자동차 제조업자가 5천만 원짜리 자동차를 100만 대 판다면 매출은 50조 원이다. 그런데 매출이 얼마인지는 우리에게 중요하지 않다. 50조 원이 그저 500억 원보다 '많다'는 이유로 무작정 더 좋은 것은 아니다.

돈이 들어오는 한 우리는 기업이 잘 운영되고 있다고 가정할 수 있다. 매출이 해마다 증가한다면 그 기업은 발전하고 있는 것이 분명하다.

다시 말해 매출이 많아진다는 건 성장한다는 뜻이다. 우리가 든 세 가지 예에서 매출을 읽을 수 있다. 빵집과 영화관과 자동차 공장은 계속 발전하고 있는가?

매출이 지난 삼 년 동안 증가했다면 좋은 편이다. 지난 오 년 동안 증가했다면 아주 좋은 편이다. 지난 십 년 동안 증가했다면 진짜로 좋은 편이다. 여러분도 이미 짐작하겠지만 지난 이십 년이나 오십 년, 백 년 동안 증가했다면? 이건 뭐, 완전 환상적이다!

·········○ 멍청한 빚, 현명한 빚? 수익

모든 기업은 돈을 벌기 위해서 돈을 지출한다. 빵집 주인은 가게 임차료를 내고, 밀가루를 사고, 제빵사에게 월급을 준다. 자동차는 주로 강철과 철, 알루미늄으로 만든다. 자동차 제조업자는 그 원료를 사야 한다. 자동차 부품을 만드는 사람에게, 그리고 그 부품들로 자동차를 조립하는 사람에게 돈을 지불한다. 또 현명하거나 재미있거나 멍청한 광고를 고안하는 사람에게도 돈을 준다.

자동차를 제조하는 것은 빵을 만드는 것보다 비용이 많이 든다. 자동차 100만 대 생산 비용은 빵 100만 개 생산 비용보다 훨씬 더 비싸다.

빵집 주인이나 자동차 제조업자가 지불하는 모든 비용을 매출에서 빼야 한다. 재료와 인건비, 임차료, 세금, 길고 긴 다른 비용들의 목록이 더해진다. 기업이 벌어들인 돈에서 지출하는 돈을 뺐을 때 나오는 숫자가 순수익이다.

어떤 기업은 수익이 무척 크고, 어떤 기업은 무척 작다. 순수익이 전혀 없어서 적자가 나는 기업도 있다. 비용이 매출보다 클 때 일어나는 일이

다. 어쩌면 여러분은 이렇게 생각할지도 모른다.

'그래, 번화가에 있는 상점들이 대부분 그렇지. 계산을 잘 못하는 루저들이 운영하다가 문을 닫는 거 아닐까?'

나는 그렇게 생각하지 않는다. 오히려 오랫동안 수익을 냈지만 그것으로 아무것도 하지 않았을 확률이 크다.

실제로 여러분이 잘 알고 있는 거대 기업들이 적자를 내는 경우도 있다. 예를 들어 스냅챗은 아직 1달러의 수익도 내지 못했다. 스포티파이와 우버도 마찬가지다. 테슬라는 수십억 달러의 적자에도 불구하고 한때 전 세계에서 가장 가치가 높은 자동차를 생산해 낸 제조업체다!

스냅챗이나 스포티파이, 우버, 테슬라가 내일 파산하리라고 생각하는 사람은 아무도 없다. 그렇다면 이 기업들은 사기꾼일까? 과연 거대한 과대 광고 뒤에 아무것도 없는 걸까?

뭔가 이상하게 들리지 않나? 여러분의 생활과 비교한다면 그렇게 들릴 수도 있다. 여러분의 지출이 수입보다 크다면 상당히 상황이 안 좋을 테니까. 무엇보다 각종 음료와 배달 서비스, 또는 게임 아이템에 지출하는 비용이 많다면 더더욱 그렇다. 그런 건 아주 빨리 가치를 잃어버리는 물품들이다. 음료수 한 캔을 다 마셨다면 그건 그냥 버린 비용이다. 인도 카레를 다 먹고 난 뒤에도 역시 남는 것은 없다.

주머니에 돈이 한 푼도 없는데, 인도 카레와 게임 아이템을 더 사려고 대출을 받는다면? 여러분은 한마디로 멍청하다. 아, 미안하다! 다르게 표

현해 보도록 하겠다. 그건 멍청한 빚, 그러니까 나쁜 빚을 지는 것이다.

하지만 여러분이 이십 년 후에 집을 사려고 한다면 어떨까? 이를 위해서도 빚을 지게 된다. 임차료를 내는 대신 은행에서 대출을 받는다. 이 두 가지 경우에서, 언젠가 빚을 다 갚고 집이 여러분의 소유가 된다는 것이 가장 큰 차이점이다.

참, 집을 살 때는 무조건 위치를 살펴야 한다. 첫째도, 둘째도, 셋째도 위치다. 예전에는 역세권이 최고였지만 요즘에는 숲세권도 인기가 많다.

게다가 매우 다행스럽게도(?) 자녀를 낳는다면? 아이들이 평생토록 임차료를 내지 않고 살 수 있게 집을 증여할 수 있다. 뭐, 팔 수도 있다. 운이 안 좋아 구매했을 때보다 가격이 조금만 오를 수도 있지만. 그러면 수익이 기대보다 적다.

부동산 가격이 요 몇 년간처럼 계속 오른다면 여러분의 집값은 예전보다 두 배, 다섯 배, 어쩌면 열 배로 뛸 수도 있다. 따라서 가치 창출을 위해 여러분이 빚을 진다면(예를 들어, 자기 집을 마련하려고) 그건 참으로 현명하다. 현명한 빚을 지는 셈이다.

스포티파이와 테슬라, 스냅챗도 이와 다르지 않다. 그들은 미래에 큰 돈을 벌기 위해 지금 빚을 지고 있는 것이다. 스포티파이는 엄청나게 비싼 음악의 저작권을 사들인다. 테슬라는 거대한 공장을 짓고 엄청난 비용이 드는 연구를 진행한다. 스냅챗은 점점 더 많은 사람들이 앱을 사용하도록 비용을 들인다. 사람들이 무료로 앱을 많이 사용할수록 스냅 사이의 광고에 더 많은 돈을 요구할 수 있다.

하지만 누가 미래를 위해 투자를 하는지, 또 누가 사기를 치는지 어떻게 알 수 있을까? 어떤 베팅이 여러분에게 유리한 결과를 가져올지는 아무도 모른다. 누가 멍청한 빚을, 또 누가 현명한 빚을 지게 될까? 일단 지금은 수익을 잊는 게 좋다.

이 숫자만으로는 아무것도 알 수가 없다. 수익을 내지 않는 사람은 아예 파산을 했거나 엄청난 부자일 가능성이 높다. 자신의 미래에 투자를 많이 하거나, 전혀 하지 않거나 둘 중 하나일 테니까.

매출을 통해서 사업 모델을 이해하고, 사업이 제대로 작동한다는 사실을 읽을 수 있다면 한 가지 숫자만 더 확인하면 된다. 바로 자기 자본이다.

내 것, 내 것, 내 것? 자기 자본

여러분은 사기꾼을 알고 있을 것이다. 돈을 주고 빌린 페라리와 샤넬 드레스, 톰 포드 정장, 훔친 신용카드로 지불하는 고급 음식과 샴페인 등으로 원래의 자기보다 더 부풀리는 사람들이다. 그들은 한 가지 핵심 규칙을 무시하기 때문에 언젠가는 들통이 나고 만다. 자기 자본이 없어서 결국엔 비밀이 샐 수밖에 없다.

기업도 사기꾼의 경우와 같다. 간단하게 말해서 자기 자본이 마이너스라면, 그러니까 빚이 재산보다 많다면 그야말로 파산 직전이다. 실체가 없이 가짜로 꾸며진 멋진 겉모습은 무너지게 마련이다. 사기꾼의 페라리, 샴페인, 샤넬 드레스를 기업에 적용하면 '자산'과 '부채'이다.

본사가 있는 건물은 그 기업의 소유인가? 로비에 놓인 소파와 태블릿은 산 것인가, 빌린 것인가, 아니면 훔친 것인가? 대표가 타고 다니는 자동차는 기업의 소유인가? 기업이 수집한 미술품들이 있나? 신규 제품에 특허 신청은 했나? 특정 제품이나 특정한 서비스를 독점하여 제공하고 있나? 특허의 가장 유명한 예는 수많은 세월 동안 철저하게 지켜지고 있는 코카콜라와 빅맥 소스의 비밀 제조법이다.

기업의 상황이 안 좋을 때를 대비해 저축해 둔 돈이 있나? 그 기업에 자기 자본이 없는 데다가 마이너스이기까지 하다면 당장 손을 떼라! (이 숫자도 몇 분 내에 검색할 수 있어야 한다. 그렇지 않다면 목록에서 바로 지워라.)

엄청나게 탁월한 제품을 소유했지만, 그것으로 돈 버는 방법을 모르는 기업이 아주 많다. 경제를 모르는 발명가는 기업가가 아니라 예술가다. 예술의 가치를 깎아 내리려는 것이 아니라 아이디어만으로는 아무런 도움이 되지 않는다는 뜻이다.

그렇다고 돈을 버는 방법만으로도 충분하지 않다. 두 가지 모두 필요하다. 대표들이 아이디어만 가지고 있는지, 아니면 훌륭한 계획도 세워 두고 있는지는 그 기업의 자기 자본이 플러스인지 마이너스인지 파악해 보면 확실하게 알 수 있다.

첫 투자에 적합한 기업을 알아보는 다섯 가지 규칙

1. 기업이 어떻게 돈을 버는지 이해한다.
2. 그 사업 모델을 용인할 수 있는지 확인한다.
3. 기업의 매출이 증가한다.
4. 처음에는 수익이 상관없다.
5. 기업의 자기 자본이 플러스 상태다.

·········○ 여러분의 첫 번째 투자

여러분의 첫 100만 원을 단 하나의 주식에 넣어서는 절대로 안 된다. 잘못 결정할 위험이 너무 크다. 앞서 설명한 모든 것을 잘 지켰다고 하더라도 그렇다. 다 잘 지켰다면 실패할 위험성이 적긴 하지만 여전히 보장된 것은 아무것도 없다. 여러분의 첫 100만 원을 세 가지 주식에 투자하라.

이미 알다시피, 회사가 돈을 버는 방식이 잘못되었다고 생각하는 곳에 투자를 해서는 안 된다. 자동차나 알코올, 석유처럼 합법적이고 탁월한 방식으로 운영되는 곳이라고 해도 마찬가지다. 어떤 분야를 무시하고 어떤 분야를 지원하고 싶은지는 오로지 여러분의 판단에 달렸다.

첫 세 가지 주식 중 하나는 여러분이 평소에 알고 싶어 했으며, 훌륭한 사업 모델을 소유한 기업에서 찾아야 한다. 사업 모델이 제대로 작동하는지 여부를 어떻게 확인하는지는 이미 알고 있지 않은가.

매출과 자기 자본을 염두에 두라. 여러분이 커피를 즐겨 마시고, 그런 사람들을 많이 알고 있다면 스타벅스에 투자해도 좋다. 테슬라나 아마존, 애플, 마이크로소프트의 제품을 사려는 사람이 많으면 그 회사들을 선택할 수도 있다. 하드웨어에 관심이 있다면 엔비디아를, 운동화를 좋아한다면 컨버스나 뉴발란스를 골라도 된다.

이렇게 유명한 주식들은 자못 탄탄하다. 이 중 하나를 고른다면 여러분의 첫 투자를 위한 기초가 된다. 이 투자는 지루하지만 비교적 안전하기에 세 가지 투자에서 가장 큰 비중을 차지해도 된다. 마음 편하게 70퍼센트쯤 투자해도 별문제가 없다.

다른 한 기업은 미래의 경제를 특징 지을 분야에서 고르는 것이 좋다. 에너지가 바로 그것이다. 여러분도 알다시피, 기후 변화를 막을 시간이 몇 년 남아 있지 않다. 포기나 혁신 중에 어떤 방법이 가장 좋은지는 따질 필요가 없다.

여기에 대한 해결책을 제시하는 기업을 고르는 거다. 여러분의 판단 여부에 따라 태양광 발전 시설을 짓는 기업이 될 수도, 원자력 발전소를 운영하는 기업이 될 수도 있다. 이 기업이 투자의 두 번째 단계다. 이런 기업은 무엇보다 기초가 탄탄해야 한다.

하지만 석유나 가스와 같은 화석 연료에 지속적으로 의지하는 세상은 미래가 없다. 이런 기업은 피하는 편이 낫다. 두 번째 주식은 다 잘될 것이라는 안전함과 환상적이거나 끔찍한 결말을 낳을 수도 있다는 작은 위험성 사이에서 균형을 이루어야 한다. 그러니까 두 번째로 비싼 부분을 차지한다. 투자금에서 대략 25%를 여기에 넣는 것이 좋겠다.

투자하고 싶은 세 번째 기업은 여러분 스스로 발견하는 게 어떨까 싶다. 자신의 내면에 귀를 기울여 보라. 여러분은 관심이 있지만 다른 사람들은 잘 모르는 분야는 무엇인가? 여러분이 다른 사람들보다 더 잘하고, 바로 더 많이 아는 것은 무엇인가? 이것을 알면 세 번째 기업을 찾기가 쉽다. 일상적인 문제에 대한 해결책을 제공하는 기업이다. 정신 나간 아이디어일수록 더 좋다.

여러분이 확신만 가지고 있다면 그걸로 충분하다. 미국이든 영국이든 베네수엘라든 나이지리아든 상관없다. 국내 시장에서 멀수록 더 좋다! 어쩌면 여러분은 이 돈을 암호 화폐에 투자하려고 고민할지도 모른다.

세 번째 영역의 투자는 예측하기 어려운 위험한 분야다. 이제는 안전지대에서 나와야 한다. 제2의 애플을 발견할 수도 있고, 탁월한 아이디어는 있지만 운이 나쁘거나 멍청한 판단을 내리거나 타이밍이 안 좋은 기업을 발견할 수도 있다.

이런 기업은 수십억 원을 벌거나 파산하거나 둘 중 하나다. 여러분은 이 두 가지 경우를 모두 함께하게 된다. 이 위험 주식은 첫 번째 투자에서 가장 작은 부분을 차지해야 한다. 5%면 충분하다.

이제 여러분의 첫 번째 포트폴리오를 정리했다. 세 회사에 투자하는 것으로 위험 부담을 분산했다. 기후 변화에 대한 적응을 향후 수십 년 동안 가장 큰 경제적 변화로 간주하여 반영했다. 이성적이긴 하지만 조금 지루한 기업에도 투자했다. 약간 정신 나간 것 같지만 흥미진진한 기업에도 투자했다. 이제 그저 기다리기만 하면 되는데, 사실은 그게 진짜로 어려운 일이긴 하다.

……○ 이제는 인내심을 가질 차례!

여러분이 첫 투자로 부자가 될 가능성은 크지 않다. 몇 주 만에 부자가 되기란 거의 불가능하다. 하지만 '여러분의 기업'을 몇 달 동안 추적하다 보면 아주 중요한 기초들을 이해하게 될 것이다. 사업 모델과 매출, 자기 자본에서 추론한 예상이 정확했나? 그 기업들은 세상에, 그리고 세상은 그 기업들에게 어떤 영향을 끼치는가? 주가는 언제 오르고, 또 언제 하락하나?

주가는 대부분 오른다. 어떤 주가 지수(특정한 수의 기업 지수를 합한 목록)를 보는지와는 상관없다. 길게 보면, 그러니까 수십 년 이상을 보면 주가는 대체로 오른다.

물론 주식이 하락하는 경우도 있다. 그럴 땐 아주 심하게 추락한다. 10%, 50%, 또는 더 심하게 추락하기도 한다. 여러분도 알다시피, 주식은 기업의 가치를 나타낸다. 기업은 세상에 대한 반응을 보이고, 또 반대로도 작용한다. 개별 주가가 폭락한다면 기업에서 누군가 안 좋은 결정을 내렸을 확률이 높다.

주가가 전반적으로 급락할 때는 세계 위기가 원인일 경우가 많다. 때로는 전쟁이나 테러 공격의 여파이기도 하다. 예를 들면, 2001년 9월 11일 미국의 뉴욕 세계 무역 센터 공격 후에 아프가니스탄과 이란에서 일어난 전쟁이 그렇다.

가끔은 정부가 심각한 잘못을 저질러서이기도 하다. 제1차 세계 대전 때 독일 제국의 전시 공채가 그런 경우다. 최근의 예로는 2010년의 그리스 위기를 들 수 있다. 그리스는 파산한 것과 다름없을 정도로 빚이 많았다. 그때 그리스는 유로를 지불 수단으로 도입했다. 그리스가 파산한다면 유로도 덩달아 심하게 흔들릴 테고, 그러면 이 통화를 사용하는 모든 나라가 영향을 받을 수밖에 없다.

위기는 때로 한 분야 전체의 일을 망치는 결과를 부르기도 한다. 2007년과 2008년의 세계 경제 위기는 은행가들 때문에 발생했다. 감당할 능력이 없는 사람들에게 주택 담보 대출을 너무 많이 해 주었기 때문이다. 은행에서 빌린 돈을 갚지 못하는 경우가 수백만 건이나 발생했다. 돈은 어디론가 홀연히 사라졌다. 모두가 잃었다. 그 결과, 전 세계가 경제 위기를 맞았다.

가끔은 아무도 책임이 없을 때도 있다. 코로나 팬데믹의 시작을 생각해 보라. 사람들이 집에만 있게 되자 필요한 물품이 줄어들면서 많은 기업이 문을 닫거나 일을 줄여야 했다. 게임과 배달 서비스, 온라인 상점, 넷플릭스를 제외하고는 많은 분야의 주식이 폭락했다.

투자자로서의 삶을 막 시작하는 데 주가가 며칠이나 몇 주, 아니 몇 달 동안 하락하고 하락하고 또 하락한다면 그저 절망만 하게 될 것이다. 그렇게 절망할 필요 없다. 나중에 뒤돌아보면 가장 끔찍한 날은 그저 주가가 하락하는 마지막 날에 불과하다. 그 안에 있을 때는 보이지 않는다.

투자는 사랑과 비슷하다. 사랑을 간절히 원하는 사람은 사랑이 항상 존재하지는 않는다는 사실을 인정해야 한다. 자기가 원한다고 해서 그 사랑이 늘 돌아오지는 않는다는 사실을 받아들여야 한다.

그리고 한번 실망했다고 해서 위대한 사랑을 찾는 일을 멈추지도 않는다. 결국은 모든 것이 좋아지기 때문이다. 좋아지지 않았다면 아직 끝난 게 아니다.

자기 자신을 위해 무엇이든 하라

해냈다! 10억 원으로 향하는 첫걸음을 지나왔다. 더 앞에는 무엇이 있을까? 보상이 놓여 있다. 저축한 돈을 좀 꺼내어 늘 갖고 싶었던 운동화나 가방을 사라. 작거나 큰 소원 하나를 자기 자신에게 이루게 해 주는 거다.

여러분은 그럴 자격이 충분하다. 진심으로 하는 말이다.

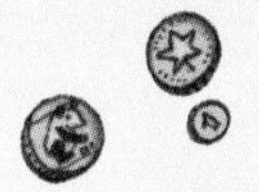

모든 사람에게 기본 소득을 지급한다면?

내가 이 책을 쓰는 동안 드러그 스토어 체인점 데엠(DM)의 창업주인 괴츠 베르너가 78세의 나이로 사망했다. 그는 매혹적인 이력과 자신이 평생 동안 열정적으로 몰두한 한 가지 아이디어를 우리에게 남겼다. 조건 없는 기본 소득이 바로 그것이다.

그 아이디어는 다음과 같다. 누구나 태어날 때부터 살아가는 데 필요한 돈을 받는다. 그 돈을 받기 위해 해야 할 일은 아무것도 없다. 죽기 전까지 평생 돈을 받을 뿐이다. 엄청나다. 안 그런가?

나도 기본 소득 제도를 도입하려는 사람들이 많다는 사실을 알고 있다. 괴츠 베르너는 그중 가장 유명한 사람일 것이다. 기본 소득에 대해 논의할 때마다 언제나 다음과 같이 말하는 사람들이 등장한다.

"그건 공산주의보다 더 나쁘다! 그렇게 하면 경제가, 아니 사회 전체가 파괴될 것이다. 사람들이 게을러져서 더는 일을 하려 하지 않을 테니까."

기본 소득이라는 아이디어 뒤에는 무엇이 숨어 있을까? 기본 소득은 거주와 음식에 필요한 금액을 뜻한다. 매슬로의 욕구 5단계에서 맨 아래 단계다. 아무도 추위에 떨거나 굶주리지 않게 하는 걸로 충분하다.

첫 번째 반론은 사람들이 게을러질 것이라는 주장이다. 나는 그렇게 생각하지 않는다. 기본 소득은 그저 배불리 먹고 거주할 수 있는 금액이다. 사람들은 점점 더 그 이상의 것을 원하게 될 것이다. 매슬로의 욕구 5단계에서 더 높은 단계로 올라가려 한다는 뜻이다.

친구를 만나서 외식하고, 여행을 가려고 할 테니까. 그러려면 계속 일을 하러 가야 하지 않을까? 물론 일을 약간 줄일 수는 있을 것이다.

집 임차료와 장 보는 돈이 보장된다면 동물 보호소에 가서 일손을 돕거나 자기 자신을 위해 그림을 그리거나 도자기를 만들거나 악기를 배울 수도 있다. 아름다운 일에 사용할 시간이 더 많아질 테고, 경력이 중요한 사람들은 새로운 일을 계속 더 찾아서 할 것이다.

두 번째 반론은 기본 소득에 비용이 너무 많이 든다는 주장이다. 맞는 말이다. 국가가 부수적으로 감당할 수는 없다. 출생할 때부터 주는 기본 소득 제도가 도입된다면 학자금 대출이나 실업 급여와 같은 다른 사회 복지 보조금이 사라질 수도 있다.

어차피 국민 연금도 몇십 년 지나지 않아 고갈될지도 모른다. 지금도 몇십만 원 정도의 연금을 받는 퇴직자들이 적지 않다. 기본 소득이 있다면 그들이 누리는 삶의 질도 향상될 것이다.

세 번째 반론은 생존에 필요한 돈을 충분히 받으면, 힘든 일을 아무도 하지 않게 되리라는 주장이다. 걱정할 것 없다. 장거리 운전사나 슈퍼마켓 계산원, 청소 인력과 같은 일들은 어차피 로봇이 담당하게 될 것이다. 또한 이 직업군에서 일하는 많은 사람들이 기본 소득 덕분에 기본적인 욕구가 충족되면 로봇에게 일을 기꺼이 넘기지 않을까.

부자로 가는 길의 첫 단추

1천만 원 만들기

여러분이 어디에서 왔는지 잊지 말라

여러분의 새로운 목표는 첫 1천만 원이다. 이 목표를 위해 이 장에서는 새로운 도구를 보여 주려고 한다. 이제 더 큰 규모로 적용하게 될 이전의 도구를 차근차근 떠올려 보라. 바로 10% 규칙, '원'과 '필'이라는 글자, 어떤 기업이 성공적인지 알기 위해 매출과 영업 이익, 자기 자본에 주의를 기울이는 것이다.

여러분의 포트폴리오는 세 가지 주식을 포함하고 있다. 물론 나는 이 주식들이 아주 잘되기를 빈다. 혹시라도 잘 안 되어도 너무 절망하지 않기를! 적어도 이 책을 화장실 휴지로 사용하지 않기를 바란다.

증권 거래소에서는 늘 모든 것이 잘된다. 정말이다. 단지 시간이 걸릴 뿐이다. 평탄하지 않은 구간을 지나더라도 정신을 잃지 말고, 상황이 다소 안 좋더라도 끝까지 견디면 된다!

참, 잊지 말아야 할 게 있다. 아주 잘 진행되더라도 욕심을 부려서는 안 된다는 것! 세 가지 주식 중에 한 가지 주가가 탁월하게 오르고 두 가지가 그렇지 않을 때,

두 가지 주식을 팔아서 전자에다 모두 거는 실수를 하지 말아야 한다. 자신을 과대평가하지 마라. 규칙을 잘 지키길 바란다. 여러분이 경멸하는 제품이나 서비스 분야가 배당금을 1~2% 더 준다고 해서 갑자기 그 분야로 갈아타는 것은 좋지 않다.

여러분이 예상하는 것보다 더 많은 사람이 돈과 얽히게 되면 자신을 과대평가하는 실수를 저지른다. 가장 슬픈 예는 복권에 당첨된 돈을 몇 달 만에 모두 써 버리는 사람이다. 장기적으로 부자로 '머무는' 방법을 모르기 때문에 저지르는 실수이다.

그다음에는 내가 '세 번째 운전 교습 증후군'이라고 부르는 것을 피해야 한다. 무슨 뜻이냐고? 여러분이 지금 운전 면허증을 따는 중이라고 가정해 보자.

이미 차를 타고 두 번 운전을 해 보았다. 지금까지 차가 순조롭게 운전한 덕분에 방향 지시등을 깜박일 수도 있다. 와이퍼로 유리를 닦는 방법도 안다. 차를 더 빨리 운전하거나 멈추게 하려면 어떤 페달을 밟아야 하는지도 알고, 정지 표지판 앞에서는 멈추고, 방향을 바꿀 때는 어깨 너머로 돌아봐야 하는 원칙도 알고 있다.

이론상으로도 잘 알고 있고, 실제로도 앞선 두 번의 운전 연습 시간에 잘해 냈다. 열여덟 시간 동안 화장실 용무를 볼 수 없는 장거리 화물 운전사로 지금 당장 투입해도 될 정도다. 이런 자세로 세 번째 운전 연습에 간다. 한 번, 두 번, 세 번 조작을 잘못해서 시동을 꺼뜨린다. 방향 지시등

켜는 것을 잊고 주차를 하다가, 가장자리의 턱에 그만 부딪힌다.

너무 확신에 찬 나머지, 자신을 과대평가한 것이다. 무엇이든 할 수 있다고, 이제 더는 배울 것이 없다고 생각한 탓이다.

운전 학원에서는 조수석에 운전 교습 강사가 타고 있다. 여러분이 깜빡 잊는다고 해도 그가 대신 브레이크를 꾹 밟는다. 그런데 투자할 때는 여러분 옆에 투자를 가르쳐 줄 교사가 앉아 있지 않다. 여러분이 이 책을 덮고 나면 나는 사라지고, 여러분 혼자서 모든 걸 결정해야 한다.

그러니 투자를 할 때 세 번째 운전 교습 시간에 저지르는 것과 같은 실수를 제발 저지르지 않기를 바란다.

……○ 세 가지 계좌가 필요한 이유

첫 1천만 원을 만들 때, 전체를 조망하기 가 복잡하다는 느낌이 들 수도 있다. 여러분의 계좌에는 이제 많은 일이 일어난다. 여러분이 좋아하는 일로 벌어들인 돈이 들어오기 시작한다. 이 돈에서 10%는 주식 계정에 투자하기 위해 따로 보관해야 한다. 그래서 계좌가 세 개 필요하다. 은행 계좌 하나, 주식 계정 하나, 그리고 10% 계좌 하나다.

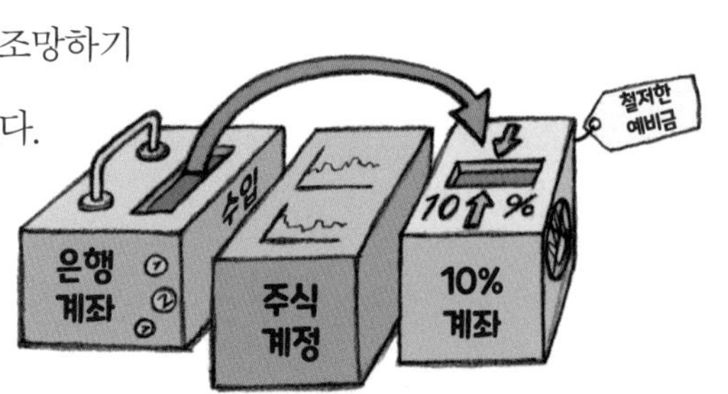

은행 계좌는 일상생활을 영위하기 위한 것이다. 이 돈으로 갖고 싶은 물건을 사거나 카페에 차를 마시러 간다. 한 달 용돈과 생일에 받은 축하금, 처음 거래한 돈 등 여러분의 모든 돈이 이 계좌로 들어간다.

은행 계좌로 들어가는 액수의 10%를—깜짝 놀랐지?—10% 계좌로 이체한다. 여기서 10%는 하한선일 뿐이다. 더 많이 이체해도 된다. 이를테면 월말에 남은 돈을 모두 이체하는 것이다. 그렇다고 10% 이하여선 안 된다. 적어도 10%는 반드시 지키도록 최소한의 목표를 정해 두는 것이 좋다.

세 번째 계좌인 주식 계정에서는 주식을 사고팔면서 거래를 한다. 은행 계좌와 주식 계정, 10% 계좌를 한 은행에서 만들 수도 있다. 재산 총액을 한 번에 보기를 원한다면 이렇게 하기를 권한다.

혹시라도 한 은행에 두었을 때 돈을 이리저리 옮기고 싶은 유혹을 받는다면? 여러 은행으로 분리를 하는 편이 낫다. 일상생활 계좌에 돈이 모자란다고 10% 계좌에 구멍을 내는 오류를 범해선 안 되니까. 일상생활 계좌가 비면 10% 계좌에 얼마가 있든, 주식 계정에 얼마가 있든, 그 달은 한 푼도 없는 셈이다. 이 원칙을 엄격하게 지켜야 한다!

그저 돈만 벌려—더, 더, 더 많이—해서는 안 된다. 말도 안 되는 소리다. 돈을 버는 일이 단순한 재미를 넘어 자신의 삶과 타인의 삶에 의미가 있기를 바란다.

그러니 계좌 1, 계좌 2, 계좌 3이 아니라 생각만 해도 기분이 좋아지는 이름을 계좌에 붙여 보는 것도 좋다. 일상생활 계좌에는 좀비고등학교 계좌, 일본 여행 계좌, 영화관 계좌 등 여러분이 좋아하는 뭔가의 이름을 붙이는 거다.

일상생활에서 즐겨 쓰거나 필요한 것을 상상하면 도움이 된다. 단기적으로는 일상생활을 즐기는 것, 장기적으로는 여행이나 물건, 또는 여러분이 미래를 위해 평상시에 조금씩 포기하게끔 동기 부여를 해 주는 이름이 좋다.

처음부터 부자가 되지는 않는다

여러분이 주식 세 가지로 부자가 될 확률은 얼마나 될까? 몇 주나 몇 달, 또는 일 년 안에 주가가 백 배 이상 오르는 기업에 투자할 가능성은 얼마나 될까? 솔직하게 말하면 아주아주 작다.

운이 좋아서 처음 산 주식들 가운데서 하나나 두 개, 또는 세 개 모두 백 배로 올랐다면 나에게 꼭 이메일을 보내 주기 바란다. 그 정도로 직관이 뛰어나다면 여러분이 나에게서 배우는 것보다 내가 여러분한테 배울 게 더 많을 테니까.

주식으로 부자가 된다는 보장은 없다. 우리는 그저 주식으로 부자가 되지 않을 가능성이 없도록 확률을 높이는 것뿐이다.

그 방법이 무엇이냐고? 위험을 분산하는 것이다. 우리는 돈을 여러 기업으로 분산한다. 지금은 겨우 세 회사로 분산했지만, 그중 하나가 추락한다고 해도 그다지 상관이 없다. 두 번째와 세 번째가 손실을 상쇄해 줄 테니까.

청소년기인 지금 처음 번 돈으로 투자를 하다가 하나의 주식에서 10만 원을 잃고 다른 주식에서 20만 원을 버는 것은 별로 중요하지 않다. 하지만 50세가 되어 모은 돈 전부로 하나의 주식을 샀다가 1억 원을 잃으면 매우 큰 문제가 된다. 그건 그냥 본인이 멍청해서 그런 결과가 나온 것이다. 투자의 기본 원칙 중 하나를 무시했으니까.

"위험을 분산하라!"

투자자로서의 삶을 막 시작한 지금 여러분은 실수를 좀 해도 괜찮다. 어쩌면 실수를 해야 한다는 말이 더 옳을지도 모르겠다. 얼마 안 되는 자본으로 소소한 재산을 쌓으면서, 나중에 큰 재산을 형성할 때 필요한 지식을 많이 배울 수 있기 때문이다.

우리 인간이 뭔가를 배우는 방식에는 두 가지가 있다. 멍청하게 배우기와 현명하게 배우기다. 멍청하게 배우기란 일단 얼른 외운 뒤, 그것을 단 한 번만 사용한 다음 까맣게 잊어버리는 것이다. 어디서 이렇게 배우도록 강요하는지는 굳이 말하지 않아도 다 알 테지.

나는 현명하게 배우기가 더 낫다고 생각한다. 긴 세월에 걸쳐 자발적으로 하나의 주제를 좇고, 과정에서 자연스럽게 깊은 지식을 차근차근 쌓아 가는 것이다. 시간을 들여야만 균형 잡힌 상(像)을 만들 수 있다. 그래야 자신 있게 스스로의 일을 결정하게 된다.

여러분의 첫 주식을 위해서는 다음과 같이 한다. 투자에 만족한다면 그렇게 유지하면 된다. 솔직하게 말해 보자. 주식 중 하나가 30% 상승하고, 여러분이 그것을 매도한다면 수익을 그저 낭비하게 될 것이다. 하지만 주가의 상승과 하락을 주의 깊게 지켜보면서 얻은 지식은 평생토록 여러분에게 남아 있다.

주가가 50% 하락하면 투자자의 대부분은 초조해진다. 머릿속에서 새빨간 경광등이 번쩍인다! 경고! 공황 상태 모드! 경고! 경고!

이런 상황에서 많은 투자자들은 주식을 매도해 엄청난 손실을 입는다. 하지만 여러분은 좀 더 현명하다. 공황 상태에 빠지기는커녕, 주가 하락을 선물로 간주하고 주식을 추가로 더 산다.

이 상황을 슈퍼마켓의 특별 할인 판매라고 생각하라. 바나나 또는 요거트를 할인한다고 해서 그 물품의 질이 더 나빠졌나? 그렇지 않다. 그 물품은 그저 잠시 한때 절반 가격으로 할인된 셈이다. 할인 판매의 좋은 기회가 생겼을 뿐이다.

그 회사를 계속 믿는다면 주가 하락은 여러분에게 선물과도 같은 것이다. 주식은 어차피 곧 회복된다. 나중에 돌아보면 주가가 바닥인 날은 다시 오르기 전날일 뿐이다.

투자에 대한 호의와 보상, 배당금

돈을 아주 많이 번 기업들이 많이 있다. 제품 생산에 필요한 최신 기계를 사고, 사내 복지를 위해 값비싼 소파를 들이고, 직원들의 급여를 인상하고, 다 같이 해외로 MT도 다녀온다.

그런데도 돈이 남아 있다면? 그 기업은 투자자인 여러분에게 얼마 정도씩 돈을 지급한다. 이 돈을 배당금이라고 부른다.

기업에 돈이 남아돌아서 배당금을 지급한다고? 표현을 바꾸어 보자. 기업은 자기 회사에 투자한 여러분에게 즐겁고 행복하게 보상을 하는 거다. 호의에 보답함과 더불어, 회사의 경제적인 성공에 여러분을 동참시키려는 것이다.

엄청나게 많은 돈을 이미 벌었는데도 더 많이 벌려는 기업들이 있다. 이들이 배당금을 지급하면 주주들에게 추가로 동기를 부여하는 셈이 된다. 만약 여러분이 같은 분야에 있는 비슷한 두 기업 가운데서 하나를 골라 투자를 한다면? 어떤 기업이 배당금을 지급하고, 어떤 기업이 하지 않는지 살펴보는 것이 좋다.

여러분이 어떤 기업에 10억 원 가치의 지분을 소유하고 있다고 가정

해 보자. 기업은 매년 5%의 배당금을 지급하기로 결정한다. 그러면 여러분은 해마다 5천만 원을 받게 된다. 그것만으로도 전혀 나쁘지 않게 살 수 있다.

사실 여러분은 아직 훨씬 더 적은 금액을 받는다. 10만 원에 해당하는 주식을 소유했다면 매년 겨우 5천 원을 받을 뿐이다. 아주, 아주, 아주 작은 투자에서 얻은 아주, 아주, 아주 적은 배당금으로 뭘 할까?

나라면 바로 재투자할 것이다. 주식을 더 산다는 뜻이다. 하지만 동기를 유지하려면 처음에는 성취감이 필요하다. 나는 이 책 때문에 여러분이 경직되는 것을 전혀 원하지 않는다.

그러면 타협을 할까? 배당금 수익의 절반은 쓰고, 나머지 절반은 재투자하는 걸로…….

……○ 철통 같은 비축, 비상금

이번에는 여러분이 살면서 마주하게 될 재정적 어려움에 잘 대처하는 방법을 알려 주려 한다.

살다 보면 잘못될 일은 무척 많다. 빌린 차를 실수로 망가뜨릴수도 있고, 하루 아침에 직업을 잃을 수도 있다. 사소하게는 세탁기가 고장 나서 건물 전체에 누수 사고를 일으킬지도 모른다.

그런 일이 벌어진 뒤에는 수습을 하기가 어려워진다. 고장 난 렌터카나 실직, 누수 사고 상상 때문에 불면의 밤을 보내지 않게 지금 미리 대비를 해야 한다.

철통 같은 비축이 필요하다. 즉 비상금이 있어야 한다. 또 다른 은행 계좌나 오래된 저축 통장이어도 괜찮다. 뭐라고 불러도 상관없는데, 한 가지 사실은 항상 똑같다. 절대 건들지 말아야 할 돈이라는 것! 증권가에

서 황금 시대를 예측하더라도 투자에 사용하는 것 또한 안 된다. 철통 같은 비축의 목적은 단 한 가지뿐이다. 예상치 못한 일이 벌어졌을 때 여러분을 보호해 주어야 한다.

재정적인 비상사태는 사랑의 번민과 비슷하다. 처음에는, 그러니까 이별의 순간에는 몹시 아프다. 이틀이 지나도, 때로는 몇 주나 몇 달이 지나도 아프다. 여러분이 사랑 때문에 괴로워할 때 친구나 가족이 여러분 옆에 있다. 좋아하는 노래와 드라마 시리즈도 있다.

이런 상황에서 여러분이 의지하는 모든 것은 살면서 미리 쌓아 둔 것들이다. 이것을 쌓는 데 많은 노력을 기울였다면 추락을 하더라도 충격이 심하지 않을 것이다. 재정적인 비상사태 때도 똑같다. 막상 실직을 당하게 되면 그 순간에는 정말 아프다. 이틀이 지나도 아프다. 일이 없다는 것은 월급을 받지 못한다는 뜻이기 때문이다.

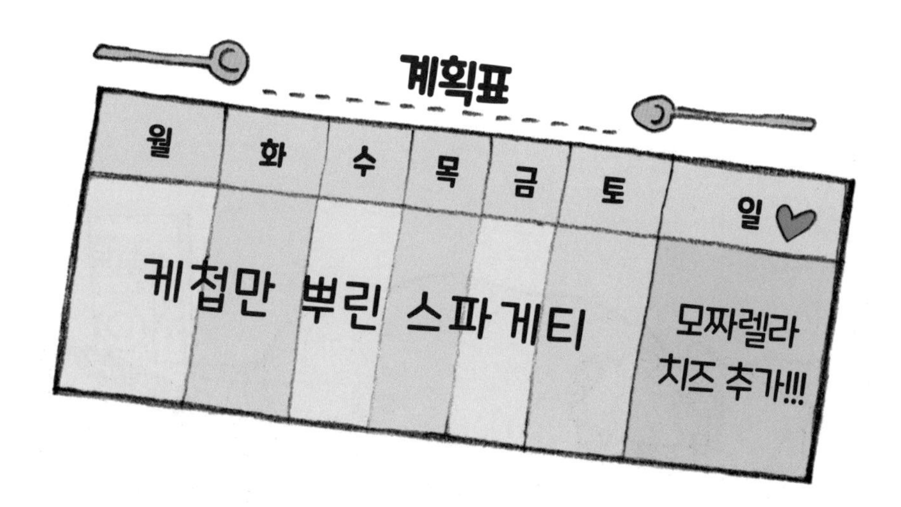

몇 주 동안 월급이 없으면 생활이 엄청나게 곤란해진다. 임대차 계약을 해지해야 할 수도 있고, 스파게티에 케첩만 뿌려 먹을 수도 있다. 이런 시기를 대비해서 철통 같은 비축을 해 왔다면 추락할 때 충격이 훨씬 덜하다.

철통 같은 비축으로 고정 비용을 이 개월분가량 가지고 있다면 좋다. 삼 개월분이면 더 좋다. 육 개월분은 사치스러울 만큼 훌륭하다. 나도 안다. 돈을 멋진 일에 쓰지 못하고 저금하거나 증식을 위해 투자하지 못한다면 정말이지 짜증스럽다.

하지만 내 말을 믿으라. 비상시에 쓸 돈뭉치가 있다는 사실을 안다면 더 편안하게 잠을 잘 수 있을 것이다.

신뢰 계좌에 입금한다고?

동성이나 이성 친구 사이에서 이상적인 신뢰의 수준은 100이다. 이럴 때는 친구가 여러분에게서 돈을 빌려 가도 반드시 갚을 거라고 확신한다. 하지만 기대와 달리 실망을 하게 되면 신뢰도가 낮아지게 마련이다. 그런 일이 반복되면 신뢰도는 점점 더 낮아진다. 그러다가 0점에 이르면 그 관계는 끝이 난다.

돈을 갚지 않는 친구에게는 더 이상 빌려주지 않는다. 매달 임차료의 이체를 잊어버리는 임차인은 쫓아낸다. 남편이 도박으로 자동차와 집을 잃어버리면 이혼을 한다.

재정과 관련이 있는 관계에서는 모든 게 이와 반대여야 한다. 이 관계에서 신뢰도는 0에서 시작한다. 선불은 애초에 없다. 그리고 누구든 일단 여러분의 신뢰를 얻어야 한다.

다르게 말하면, 그들은 여러분의 신뢰 계좌에 입금을 해야 한다는 뜻이다. 여러분은 이 원칙을 마음에 새겨야 한다. 여러분의 신뢰 계좌에 미리 입금한 사람들과만 거래해야 한다.

여러분의 돈과 관련 있는 사람들은 대부분 친절하지 않다. 자신을 믿으라고 설득하기 위해 여러분을 찾아오는 기업이나 은행, 투자 상담사는 없다. 그러므로 여러분 스스로 조사해야 한다.

"나를 믿으세요! 여러분을 부자로 만들어 드리겠습니다!"라고 고함을

지르는 사람은 사기꾼밖에 없다. 유튜브에서 진초록 람보르기니 앞에서 포즈를 취하고는 "부자가 되고 싶다고요? 누구나 그렇게 될 수 있습니다! 보증합니다! 30만 원짜리 내 세미나에 등록하세요."라고 말한다.

여러분이 알아야 할 기본적인 규칙은 다음과 같다. 누군가 자신이 정말 '믿을 만하다'고, 부를 확실하게 '보장해 준다'고 아주 크게 말한다면 일단 그를 멀리하라!

최연소 자수성가형 여성 억만장자, 사라 블레이클리

사라 블레이클리가 로스쿨 입학시험을 망치지 않았더라면 세상은 탁월한 기업가 한 명을 잃어버렸을 것이다. 새로운 일을 찾던 블레이클리는 1990년대 중반에 플로리다에서 팩스기를 팔기 시작했다.

집집마다 방문하는 일이 힘들기는 했지만, 블레이클리는 곧 큰 성공을 거두었다. 25세에 이미 팩스기 방문 판매 분야에서 미국 최고의 자리를 차지했다. 무더운 플로리다에서 날마다 바쁘게 돌아다니면서 스타킹 때문에 짜증이 아주 심하게 났다. 너무 덥고 너무 답답해서 괴로웠다. 하지만 달리 대안이 없었다.

그때 어떤 아이디어가 반짝 떠올랐다. '내 마음에 드는 스타킹이 없다면 다른 여성들도 마찬가지겠지? 내가 직접 스타킹을 발명해야겠다.'

블레이클리는 일 년 동안 '스팽스' 스타킹의 원형 개발에 매달렸다. 그 후 완성된 제품을 텔레마케팅으로 처음 소개한 뒤, 육 분 만에 8,000개가 팔렸다.

게다가 토크쇼 여왕인 오프라 윈프리가 그 해의 최고 제품이 '스팽스'라고 말하자, 그 이후로 불티나게 팔리기 시작했다.

'스팽스'의 원형을 수작업으로 만들고 겨우 십오 년이 지난 2013년에 블레이클리는 역대 최연소 자수성가형 여성 억만장자가 되었다. 블레이클리는 아이디어란 그것을 믿어 주는 사람이 있을 때라야 좋은 결과를 가져온다는 사실을 결코 잊지 않았다.

2021년에 기업의 큰 지분을 대주주에게 매각한 뒤, 그는 직원 모두에게 일등석 비행기표를 두 장씩 선물했다. 목적지는 직원들이 마음대로 고를 수 있게 했다. 블레이클리는 직원들의 꿈을 실현하는 것을 매우 중요하게 생각했다. 그들이 자신의 꿈을 실현해 준 데 대한 고마움 때문이었다.

가능한 한 다양한 분야에 투자하라

증권 거래소에는 다양한 기상 상황이 있다. 주가가 하락하면 폭풍우가 몰아친다. 주가가 상승, 상승, 또 상승하면 햇볕이 쨍쨍 내리쬔다.

일단 폭풍우가 오면 좋지 않다. 그럴 때는 침대에 엎드려 넷플릭스를 켠 채 세상과 단절하는 편이 낫다. 반대로 해가 나면? 그때는 모든 것이 좋다. 바깥으로 나가서 인생을 즐긴다.

일상생활에서는 맞는 말이지만, 증권 거래소에서는 그렇지가 않다. 폭풍우가 몰아치든 해가 나든, 그 어떤 기상 상황이라도 돈을 벌 수 있는 기회를 찾을 수 있다. 유일한 전제 조건은 위험을 분산하는 것이다. 가능한 한 다양한 분야에 투자하라는 뜻이다. 금융 전문가들은 이것을 '분산'이라고 부른다.

내일 세상의 모든 정부가 석유와 가스로 전기 생산하는 것을 금지한다고 상상해 보라. 모레는 석유과 가스로 돈을 버는 기업이 파산하고, 태양광 발전 시설과 풍차를 만드는 기업은 엄청난 부자가 될 것이다.

여러분은 이 점을 알고서 적절히 이용해야 한다. 되도록이면 반대 방향으로 투자하는 거다. 그러니까 석유 회사와 태양광 기술을 지닌 스타트 업에 투자하면 된다.

인공 지능처럼 추상적인 것, '그리고' 유기농 돼지고기처럼 구체적인 것에 투자한다. 우산 공장 '그리고' 아이스크림 가게, 수영복 '그리고' 겨울 재킷 제조업체, 스포츠카 '그리고' 자전거 등이다.

펀드를 위한 알맞은 재료 선택하기

이제 여러분은 하루에 이십 시간씩 수천 개의 주식을 모니터링하고 거래하기 위해 학교를 때려치우고 모든 사회적 관계를 끝낼 수도 있다. 하지만 이렇게 하기는 상당히 힘들다. 차라리 그런 일을 맡아 하는 누군가에게 여러분의 돈을 맡기는 편이 낫다.

주식을 고르고, 모니터링하고, 사고파는 사람들이 있다. 여러분의 돈을 주식형 펀드에 넣는다. 이는 많은 주식들로 구성된 금융 상품이다. 어떻게 관리하는가에 따라, 아니 더 정확하게 말하면 누가 관리하는가에 따라 세 가지 방식으로 나뉜다.

▶ 인간 펀드 매니저 ▶ 펀드 매니저 로봇 ▶ 상장 지수 펀드(ETF)

펀드 매니저를 활용하라

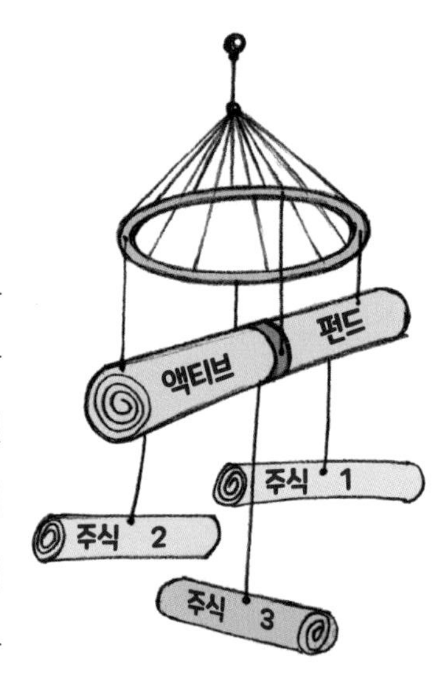

여러분을 위해 주식을 고르고, 사고, 모니터링하고, 주가가 오르면 파는 누군가를 고용할 수 있다. 펀드 매니저나 워런 버핏 같은 사람, 런던이나 파리의 유명 대학교에서 공부한 뒤 이 일을 이십 년 넘게 하면서 남들보다 빨리 주식의 비밀 팁을 알고 있다고 소문난 사람, 이런 사람을 고용할 수 있다.

어디까지나 이론상으로는 그렇다. 실제로 이런 전문가를 고용하려면 엄청난 금액의 급여와 자동차, 무제한 신용 카드를 제공해야 한다. 여러분이 전 세계에서 10위 안에 드는 부자가 아니라면 이런 비용을 감당하기가 힘들다. 나에게도 비싸기는 마찬가지다. 세계 10위 안에 드는 부자가 아닌 사람에게는 다 그렇다.

보다 현실적인 가능성은 이 엄청난 전문가가 억만장자뿐 아니라 모든 사람을 위해 정리한 펀드에 투자하는 것이다. 이른바 '액티브 펀드'가 바로 그것이다. 매니저가 시장을 분석하고 개별 주식을 선별하여 투자하는 방식이다. 한마디로, 수익 지향형이다.

이때 펀드 매니저들은 각각 성공의 비결을 소유하고 있다. 금이나 그와 비슷한 원료를 채굴하는 기업의 주식에 집중하는 전문가도 많다. 또 다른 전문가는 특정 기업이 지금은 과소평가되어 있지만—숫자나 사업 모델이 전혀 다른 이야기를 하는데도—대박이 날 거라고 주장한다.

어떤 펀드 매니저들은 대도시의 부동산에 투자한다. 그들은 몇 달 또는 몇 년 후에 비싼 가격으로 팔 수 있다고 생각하므로 집과 사무실 건물, 아파트를 미리 사 둔다. 의료 기술이나 유럽과 아시아, 남아메리카와 같은 경제 분야에 특화된 전문가도 있다. 이들은 모두 궁극적인 부로 가기 위해 올바른 길을 찾았다고 믿는다.

이런 펀드 매니저들 가운데 몇몇의 믿음은 사실이다. 그들은 엄청난 부자가 되었고, 그들에게 돈을 맡긴 사람들도 그렇게 되었다. 하지만 인간은 실수를 하기도 한다. 유감스럽게도 세상에는 좋은 액티브 펀드보다는 쓰레기가 훨씬 더 많다.

사실 그 누구도 경제가 어떻게 발전할지 완벽하게 보장할 수 없다. 모든 뉴스를 읽고, 모든 기업을 알고, 1962년 2월 페루의 밀 가격을 꿰고, 현재 달러의 환율을 소수점 이하 35자리까지 아는 사람은 아무도 없다. 인간은 모든 것을 알지 못한다. 뭐, 소프트웨어라면 다 알고 있을 수도.

냉철하고 완벽한 투자자? 인공 지능

전 세계의 모든 금융 정보에 접근할 수 있는 컴퓨터 프로그램, 즉 인공 지능을 상상해 보라. 현재와 과거의 모든 주가, 어떤 기업과 그 대표에 관한 모든 기사와 문서, 모든 제품과 서비스와 원료의 가격을 아는 인공 지능.

이 인공 지능은 그 무엇에도 매수되지 않고, 불안이나 탐욕이라는 감정에 휘둘리지 않으며, 언제나 객관적이고 냉정하게 결정한다. 최적의 시점에 주식을 사고판다. 이런 인공 지능은 사실 완벽한 투자자임에 틀림없다. 안 그런가?

아마도 언젠가는 이렇게 될 것이다. 하지만 아직은 인간이 기계보다 우월하다. 그 이유는? 인간은 직감에 귀를 기울일 수 있기 때문이다. 개별적인 매개 변수들이 이 투자가 실패할 확률이 높다고 한다 해도 결과적으로는 성공에 이르게 되는 결정을 내리기도 한다.

이런 감정을 직감 또는 직관이라고 부른다. 컴퓨터는 이런 감정이 없다. 그래서 아직은 인간적인 사고를 능가하는 로봇 펀드 매니저는 없다.

하지만 영원히 그러리라고 장담할 수는 없다. 인터넷이 발명되기 전에는 전 세계의 주가나 환율 변동을 몇 초 내에 불러낼 수 있으리라고는 꿈도 꾸지 못했으니까.

폴란드나 남아프리카에서 오는 어떤 운동 기구에 대한 정보를 이 분

내에 알아낼 수 있게 될 줄도 몰랐다. 그러므로 언젠가는 인간 펀드 매니저가 아니라 컴퓨터가 이 일을 훨씬 더 잘해 낼 가능성이 무척 크다. 그날이 언제가 될지는 아무도 예상하지 못하지만.

·····○ 두루두루 안심 패키지, 상장 지수 펀드(ETF)

인간과 로봇 펀드 매니저 외에도 한 가지 가능성이 더 있다. 바로 상장 지수 펀드(Exchange-traded Fund), 줄여서 ETF에 투자하는 것이다. ETF로 각각의 주식에 신경 쓸 일이 없이 수백, 아니 수천 개의 기업에 간단하고 완벽하게 투자할 수 있다. 무척 편해 보이지 않는가? 실제로 그렇다.

한국의 대표적인 주가 지수 상품으로는 코스피200, 미니코스피200, 코스닥150 등이 있다. 특정 지수나 특정 자산의 가격 움직임과 수익률이 연동되도록 설계된 펀드로 주식처럼 증권 거래소에서 거래된다. 주가가 올라가면 ETF 가격도 올라가고, 주가가 내려가면 ETF 가격도 떨어지기 때문에 여러분처럼 주식 시장에 처음 발을 들이는 사람들에게 적당하다.

워런 버핏은 종목을 선택하는 능력이 모자란 일반 개인 투자자들은 몇몇 기업에 집중 투자하는 것보다 미국의 주식 시장 대표 지수인 S&P500을 추종하는 ETF를 사는 것이 현명하다고 말했고, 존 보글은 잦은 매매의 유혹을 경계한다면 투자 종목 선정 안목이 모자란 개인 투자자들에게 ETF가 최고의 선택이라고 언급했다.

또, 세계 최대 헤지펀드인 브리지워터 어소시에이츠를 이끌고 있는 레이 달리오의 투자 전략 중 하나인 퓨어 알파(Pure Alpha) 펀드는 ETF로 포트폴리오의 약 90%를 채우는 것으로 유명하다.

그 외에 독일 주가 지수 닥스(DAX)는 여러분이 주식을 살 수 있는 독일의 40대 기업을 반영한다. 닥스에 해당하는 미국 지수는 미국의 30대 기업을 반영하는 다우존스다.

전 세계에 투자하려는 여러분은 이렇게 생각할지도 모른다.

'애걔걔, 겨우 30~40개 기업이라니. 너무 시시해! 100개나 500개 혹은 1,000개의 기업에 투자를 해야지.'

아주 좋다! 여러분은 ETF의 목적을 제대로 이해했다. 위험을 제대로 분산하려면 모건 스탠리 캐피털 인터내셔널(MSCI)처럼 전 세계를 반영하는 지수를 찾아야 한다. 이 지수는 여러분이 주식을 살 수 있는 1,600개의 기업을 반영한다. 1,600개! 그중 10개 기업이 내일 파산한다고 해도 나머지가 이 손실을 상쇄해 줄 테니 여러분은 아무것도 느끼지 못할 것이다.

이쯤 되면 내가 무슨 말을 할지 여러분도 짐작할 테지. 만약 배당금을 받는다면 절반을 뚝 떼어서 재투자하라!

ETF의 또 다른 장점은 저축 계획을 체결할 수 있다는 점이다. 특히 주식을 살 만큼 목돈이 없다면 매월 일정 금액을 자동으로 ETF에 투자하는 저축 계획을 세울 수 있다.

마지막 문장에 서너 번 밑줄을 긋고, 동그라미를 그리고, 꽃과 하트로 장식을 하라. 왜냐고? 이제 그 이유를 설명하겠다.

여덟 번째 세계 불가사의, 복리 이자

무언가를 시작하는 데 완벽한 시점은 없다. 가장 좋은 시점은 바로 오늘이다. 금융 전문가들의 표현대로 '장중에' 오래 있을수록 이득을 본다. 음, 복리 이자가 바로 그것이다.

우선 이자 얘기부터 해 볼까? 은행은 돈을 빌리고 빌려주는 일을 한다. 여러분이 돈을 맡기면 은행은 그 돈의 사용료를 주는데, 그것이 바로 이자이다.

이자를 계산하는 방법은 단리와 복리, 두 가지가 있다. 단리 계산법은 원금에 대한 이자만 계산한다.

원금 × 이자율 × 기간

반면에 복리 계산법은 조금 복잡하다. 해가 지나면 지날수록 이자에 대한 이자가 붙는다. 새로 붙은 이자에도 이자가 생기므로 빠른 속도로 돈이 불어난다.

전년도 이자 + ((원금 + 전년도 이자) × 이자율)

물리학자 알베르트 아인슈타인(머리카락이 헝클어지고 혀를 쑥 내민 사람)이 이런 말을 했다고 한다.

"복리 효과는 여덟 번째 세계 불가사의다."

이게 무슨 뜻일까? 또 다른 유명 인사, 예수의 이름을 빌려서 예를 들어 보겠다.

예수의 부모인 마리아와 요셉이 약 2000년 전에 예수를 낳자마자 베들레헴 은행에 계좌를 하나 열었다고 가정해 보자. 너무 가난해서 아기 예수와 함께 5성급 호텔이 아니라 마구간에 머물러야 했던 마리아와 요셉은 단돈 100원만 입금할 수 있었다. 베들레헴 은행 창구 담당 직원은 그들에게 연 5% 이자를 지급한다고 했다.

100년, 500년, 2000년……, 현재로 시간을 당겨 보자. 예수의 아득한 후손이 베들레헴 은행에서 편지를 받는다.

"예수의 계좌를 발견했습니다! 적법한 후손으로서 시간이 날 때 들러 이자가 붙은 돈을 받아 가시기 바랍니다."

예수의 아득한 후손은 비행기에 앉아 토마토 주스와 칩 한 봉지를 주문한 후에 계산을 시작한다. 100원 × 이자 5% × 2000년. 그는 단 5원이라는 연이자에 실망한다. 하지만 현지에 도착해 보니, 베들레헴 은행 직원이 이와는 완전히 다른 계산서를 내민다.

예수의 아득한 후손은 이미 받은 이자에 또 이자가 붙고, 여기에 또 이자가 붙고……. 이렇게 끝없이 계속된다는 사실을 미처 생각하지 못했

초기 자본	100원
50년 후 복리	1,100원
250년 후 복리	1,983만 원
500년 후 복리	3조 9천만 원
1000년 후 복리	1,500해 원

다. 은행 직원은 예수의 아득한 후손을 위해 표를 그린 거대한 종이를 꺼낸다.

베들레헴 은행 직원은 1500년쯤 후에 원래의 100원이 지구 크기만 한 거대한 금덩어리에 해당하는 값어치를 지니게 되었다고 설명한다. 1750년에는 140,000개의 금덩어리가 되었고, 예수의 부모가 100원을 넣은 지 2000년이 지난 지금은 각각의 크기가 지구만 한 280억 개의 금덩어리가 되었다.

알베르트 아인슈타인이 그렇게 많은 금덩어리 행성들로 구성된 우주를 상상할 수 있었는지는 모르겠다. 하지만 여러분은 그가 복리를 왜 '세계 불가사의'라고 말했는지는 어느 정도 이해할 것이다.

이게 여러분에게 어떤 의미가 있을까? 단리와 복리, 다시 말해서 여러분이 재투자하여 얻는 이자는 여러분의 가장 친한 친구다.

여러분은 지금 어리고, 투자자로서 살아가게 될 긴 인생이 앞에 놓여 있다. 이천 년까지는 아니지만 오십 년이나 육십 년, 또는 팔십 년은 분명하다.

여러분이 20세부터 시작해서 믿을 만한 주식형 펀드에 매달 이십만 원씩 넣는다고 가정해 보자. 매년 8%의 수익을 얻고 이를 다시 투자한다. 그러면 퇴직하기 직전까지 사십 년 동안 정확하게 9,600만 원을 입금했다.

여기에 그동안 얻은 수익을 계속 재투자했으니 오십 년 후에는—와르르!—여러분이 입금한 것보다 10배쯤 많은 돈을 받게 될지도 모른다.

축하한다. 여러분은 백만장자다!

다양한 방식으로 위험을 분산하라

1억 원 만들기

전문가를 위한 투자, 테마 펀드

지금까지 여러분은 돈을 위해 일했다. 개별적인 주식과 전 세계에 흩어진 주식형 펀드에 현명하게 투자했다. 인내심을 가지고 펀드가 잘 발전하기를 기다렸다.

이제 이런 질문을 해야 한다. 첫 1억 원으로 뭘 하지? 돈을 더 불리기 위해 어떤 식으로 현명하게 투자해야 할까? 어떻게 하면 상황을 돌려서 돈이 여러분을 위해 일하게 만들까? 전 세계에 흩어진 펀드의 평균 수익을 능가하는 투자 기회를 어떻게 찾을까?

이 장에서는 여러분이 이미 하고 있는 것보다 훨씬 더 다양하게 돈을 분산하는 방법을 다룬다. 이렇게 하면 수익률은 상승할 기회가 커지고, 위험은 더욱 낮아진다. 이제는 재산을 형성하는 것이 아니라 지키는 일이 중요하다. 부자가 '되기'와 그 상태를 '유지하기'는 똑같이 힘들기 때문이다.

자, 이제 위험을 더 분산해 보자. 나는 돈의 일부를 테마 펀드에 투자할 것을 추천한다. 예를 들면 남아메리카 부동산 펀드나 케냐의 황금 펀드 같은 것이다. 의료 기술이나 태양광 발전 시설, 전기 자동차 같은 미래 산업, 또는 합법적 대마 펀드도 있다.

앞 장에서 이미 다루었듯이, 여러분의 도덕적 기준에 따르면 된다. 혐오스럽다거나 비도덕적이라거나 잘못되었다고 생각하는 분야에는 투자하지 말라. 대신에 최대한 폭넓게 투자하라.

과장해서 말하자면 담배 기업 펀드에 1만 원을 투자한다면 폐암을 치료하는 의약품 펀드에도 1만 원을 투자하는 거다. 태양광 펀드에 1만 원을 투자한다면 석유 펀드에도 1만 원을 투자하는 식이다.

인공 지능, '그리고' 유기농 돼지고기처럼 확실하게 가시적인 것에 투자해야 한다는 사실을 기억하라. 우산 공장 '그리고' 아이스크림 가게, 스포츠카 '그리고' 자전거에 투자하는 거다.

그렇다고 정확하게 반대인 펀드에만 투자할 필요는 없다. 이미 말했듯이, 이것은 그저 위험을 분산하기 위한 방식 중의 하나이다.

비트코인을 채굴하다, 암호 화폐

테마 펀드에 투자하기 전에 한 가지 알아야 할 것이 있다. 이른바 물리적 펀드와 합성(인공) 펀드 사이에는 차이점이 있다는 것.

여러분이 바보 같다거나 굉장하다고 생각할 만한 투자 가능성으로 설명하겠다. 적어도 여러분 자신이 직접 판단해 볼 만큼 흥미롭다고 생각한다. 암호 화폐에 관한 이야기다. 발명자 사토시 나카모토는 이미 앞에서 소개했다.

'크립토'라는 단어의 어원은 고대 그리스어인데 '숨은', '숨겨진', '암호화된', '비밀의'라는 뜻이다. 암호 화폐는 암호화된 디지털 통화이며, 그 기본은 다양한 암호화 알고리즘이다. 나는 전문가가 아니니 더 자세한 것은 묻지 말기를.

이 세상에는 천 가지가 넘는 암호 화폐가 존재한다. 사실 '화폐'라는 말은 유로나 엔, 원, 달러처럼 국가와 연결되어 있으니 딱히 알맞은 개념은 아니다. 암호 화폐는 디지털 자산에 훨씬 더 가깝다.

이 자산은 기본적으로 자산 자체와 그 뒤에 있는 기술이라는 두 부분으로 이루어져 있다. 이 기술을 블록체인이라고 부른다. 여러분도 아마 들어 봤을 것이다. 블록체인은 차례로 정렬된 디지털 정보 블록들로 구성되는데, 더는 소급하여 변경할 수 없다.

여기에 관해서도 이 책보다는 다른 곳에서 더 많은 것을 배울 수 있다.

어쨌든 흥미로운 주제이며, 앞으로 이 분야에서 훨씬 더 많은 일이 있을 것이다. 정말이다! 그러니 암호 화폐가 돈의 작동 방식과 우리가 그것을 다루는 방식을 바꿀 것이라고 믿는다면 투자하라!

그렇다면 비트코인 같은 디지털 자산을 어떻게 소유할 수 있을까? 이론상 비트코인을 직접 채굴할 수 있다. 돈을 많이 들여 집에 슈퍼컴퓨터를 조립해 둔다.

그 컴퓨터가 밤낮으로 계산하고, 계산하고, 또 계산하는데, 운이 아주 좋다면 십오 년이나 이십 년쯤 뒤에 성과가 나타날 것이다.

하지만 실제로 이렇게 하기란 거의 불가능하다. 전기료가 엄청날뿐더러 하드웨어, 그러니까 슈퍼컴퓨터를 몇 번이나 교체해야 할 테니까.

암호 화폐를 소유하는 가장 간단한 방법은 크라켄, FTX, 코인베이스 처럼 믿을 만한 '가상 통화 취급 업소'에서 산 다음, 자신의 블록체인 주소에 보관하는 것이다. '지갑'이라고도 불리는 하드웨어를 사용하는 편이 가장 안전하다.

암호 화폐를 둘러싼 열광은 19세기 미국의 골드 러시를 연상시킨다. 이 비교는 내가 생각해 낸 것이 아니라, 누군가 암호 화폐 열광에 대해 설명할 때면 늘 등장한다.

세 명의 골드 러시 남자들에 관해 이야기하고 싶은데, 끝에 가면 결국 단 하나의 금덩이도 채굴하지 못한 사람이 가장 행복하다.

헛된 꿈을 꾸다가 몰락한 사람들, 골드 러시

1848년 1월 24일 목수인 제임스 W. 마셜은 캘리포니아주 아메리칸강에서 제재소를 위해 하수도를 판다. 그러다 흐린 물속에서 반짝이는 조각을 발견하지만, 처음에는 그게 무엇인지 잘 모른다.

나흘 뒤 제재소 주인 요한 아우구스트 주터에게 이 사실을 알린다. 주터는 그 조각들을 테스트에 보내고, 마셜이 금 조각을 발견했다는 걸 알게 된다! 주터는 이 일을 비밀로 하라고 지시한다! 하지만 직원들에게는 여가 시간에 계속 금을 찾으러 다녀도 좋다고 허락한다.

물론 제재소 주변에서 금을 발견한 소식을 비밀로 한 직원은 아무도 없다. 이제 아메리칸 강가 어디에서든 금 조각이 발견된다.

곧 금 찾기 열풍이 일어난다. 처음에는 주변 마을 주민들만 강에서 금을 찾아 나선다. 그 후에는 미국 전역에서 산발적으로 오다가 차츰차츰 무리 지어 오기 시작한다.

급기야 당시 미국 대통령 제임스 K. 포크가 금 발견을 공식적으로 알리자, 수십만 명이 우르르 몰려온다. 이른바 미국 골드 러시가 시작된 것이다!

주터의 제재소에서 일하려는 사람은 이제 아무도 없었다. 주터는 처음에 크게 상관하지 않았다. 금을 캐서 이미 부유해졌기 때문이다. 나중에는 사치스럽게 생활하다가 빚을 지기까지 했다. 얼마 안 가 그의 농장은 방화로 불탔고, 그는 파산한 뒤 캘리포니아를 떠났다.

금 조각을 처음 발견한 제임스 W. 마셜은 독립하여 금광을 하나 사들였다. 하지만 안타깝게도 금광 갱도에서는 금이 전혀 발견되지 않았다. 1885년 8월 10일, 처음 금을 발견하고 사십 년이 지난 후, 그는 아주 가난한 상태로 사망했다. 지금까지의 생활을 포기하고 행운을 바라며 금을 찾으러 캘리포니아로 갔지만, 한 조각도 찾지 못한 수만 명의 사람들도 같은 운명이었다.

그 와중에도 어떤 사람은 아주 큰 부자가 되었다. 그가 만든 제품은 오늘날도 우리가 알고 있을뿐더러 심지어 무척 좋아한다. 바로 독일 이주자 레비 슈트라우스다. 그는 금을 캐는 사람들이 하루 종일 무릎을 꿇고 물에 있느라 질긴 바지를 찾는다는 소문을 들었다. 그때 슈트라우스가 채굴꾼들에게 엄청 많이 팔아서 부자가 된 바지를 우리는 지금도 알고 있다. 바로 리바이스 청바지다.

우리가 길을 조금 돌아왔다는 사실은 기꺼이 인정한다. 하지만 미국의 골드 러시가 어떻게 일어났는지를 알면, 최근의 암호 화폐 열

풍을 설명하기가 한결 더 쉽다.

역사와의 비교에서 얻을 수 있는 첫 번째 교훈은 그 당시에 진짜 금 조각만 가치가 있었다는 점이다.

이는 오늘날도 마찬가지다. 약간 과장해서 말하자면 암호 화폐도 이와 똑같다.

예를 들어 여러분이 가상 통화 취급 업소에서 코인 하나를 샀다면, 그 코인은 분명 여러분의 것이다. 이런 투자는 언뜻 위험한 것 같지만 그 위험 뒤에는 반드시 가치가 숨어 있다. 운이 좋다면 해 볼 만하다. 그러니 흥미진진하고 실제적인 위험 투자라고 부르자.

음, 이와는 다른 것도 있다. 일단 암호 화폐에 대한 '인공적인' 투자라고 부르겠다. 이것 역시 똑같이 위험하지만 실제적인 가치는 없는 게 다르다.

은행에서 물리적인 통화가 없는 암호 펀드(합성 펀드)를 하나 산다고 가정해 보자. 제공자는 다음과 같이 약속한다.

"여기서 당신은 100대 암호 화폐에 투자할 수 있습니다."

이 말이 좋게 들리는가? 이 펀드에는 통화로 투자하지 말고 제공자와 대출 계약만 맺어야 한다.

거래는 이렇게 진행된다. 여러분이 제공자에게 돈을 주면, 그는 여러분에게 다음과 같이 약속한다.

"특정 시점에 이르게 되면, 그때까지 암호 화폐 가격이 변동한 대로 돈을 돌려 드

리겠습니다."

그러나 그는 물리적으로 단 하나의 화폐도 투자하지 않았다는 사실을 여러분에게 알려 주지 않는다. 이런 인공적 펀드(합성 펀드)의 제공자는 물리적 펀드에서 실제로 일어나는 일을 그저 흉내만 낼 뿐이다.

골드 러시 때 살았더라면 은행가가 여러분에게 가짜 금을 건네며 이렇게 말했을 것이다.

"이 가짜 금이 진짜와 똑같은 가치가 있다고 우리 둘이 합의합시다."

오늘날 이 모델은 금융 시장뿐 아니라 슈퍼마켓에도 있다. 포장에 '치즈'라고 쓰여 있지만 내용물은 콩 단백질과 색소와 향료와 풍미 강화제의 혼합물이다. 치즈처럼 보이고 치즈 같은 맛을 내지만 진짜 치즈는 아니다.

또, 포장에 '치킨 너겟'이라고 쓰여 있지만, 그 안에 든 것은 남은 고기를 잘게 찢어 화학 처리한 뒤 그럴싸하게 모양을 만든 제품이다.

나는 육류나 동물성 제품을 먹지 않으려는 사람들을 위해 무척 맛있고 훌륭한 대용품이 나와 있다는 사실을 잘 안다. 그렇더라도 슈퍼마켓에 여전히 대량으로 놓여 있는 대용품의 예를 다시금 떠올려 보자.

솔직하게 말해서, 여러분이 그 안에 무엇이 들었는지 안다면 화학 치즈와 치킨 너겟 모조품을 살 것인가? 아마도 그렇지 않을 것이다. 안 그런가? 그렇다면 인공적인 펀드에도 손을 대지 말라. 물리적인 펀드보다 더 유리하게 보일 때가 많지만 거래할 가치가 없기 때문이다.

부유한 사람들의 말에 귀를 기울여라

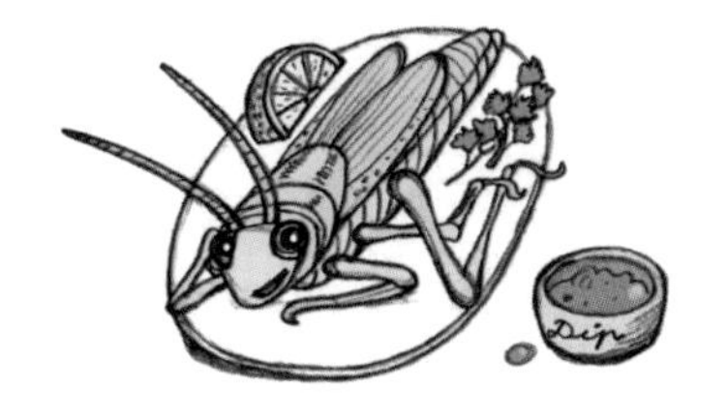

여러분이 되고 싶어 하는 상태에 이미 도달한 사람들에게서 가장 많은 걸 배울 수 있다. 말하자면 부유한 사람들이다. 그들의 말에 귀를 기울이고, 그들이 흥미를 갖고 중요하다고 생각하는 것에 몰두해 보자.

그들의 연설을 듣고, 책을 읽고, 팟캐스트를 듣는 거다. 부자인 사람들은 미래에 더 많은 돈을 버는 방법을 골똘히 생각하며 많은 시간을 보내기 때문이다.

앞으로 우리는 어떤 교통수단을 이용할 것인가? 전기 자동차나 엄청나게 빠른 초고속 열차, 아니면 비행 택시? 에너지는 어떻게 얻을까? 핵, 또는 태양광, 또는 풍력? 아니면 지금은 전혀 알지 못하지만 십 년 안에 세상을 변화시킬 수 있는 새 기술을 사용하게 될까?

그리고 우리는 무얼 먹게 될까? 실험실에서 만든 고기나 곤충? 기후 변화 때문에 어쩔 수 없이 모두 채식주의자로 살아가게 될까?

다음에는 어떤 도시가 뉴욕처럼 바뀔까? 나이지리아의 수도 라고스가 그렇게 될지도 모른다. 아니면 둥관이나 포산, 창춘……. 또는 지금껏 한 번도 들어 본 적이 없지만, 몇 년 내로 작은 마을에서 수백만 명이 사는 대도시로 발달하게 될 중국의 어느 도시일 수도 있다.

엄청나게 흥미진진한 질문과 엄청나게 흥미진진한 대답이다. 여러분이 현명한 투자로 여기서 수익을 낼 수 있다면 어떻게든 그렇게 하는 것이 좋다! 내가 이 책을 쓰는 시점으로선 전 세계에서 가장 부자인 일론 머스크처럼.

그는 어떻게 해서 그렇듯 부자가 되었을까? 머스크가 다른 사람들과 구별되는 건 언제나 미래를 생각한다는 거다.

오 년 후에 인류의 절반은 무엇에 관심을 가질까? 사람들이 원하는 제품을 만듦으로써 나는 어떤 이득을 얻을 수 있나? 사람들의 충족시킬 요구와 엄청난 수요는 어디에 있는지, 그래서 십 년 후에 큰돈을 벌 만한 곳은 어디인지 곰곰히 생각해 보자.

괴상한 사업가, 일론 머스크

누군가 오로지 과거만 생각한다면 약간 이상한 사람이다. 마찬가지로, 누군가 언제나 미래에서만 산다면 그 역시 이상한 사람일 것이다.

일론 머스크는 소셜 미디어에서 코로나 바이러스에 대해 잘못된 정보를 여러 번 공유했다. 아마도 자신이 이 세상의 모든 바이러스 학자들보다 더 똑똑하다고 생각했던 듯싶다.

2018년에 전문 잠수부들이 태국의 어느 동굴에 갇힌 아이들을 구조할 때, 머스크는 일종의 미니 잠수함을 지원하겠다며 요청하지도 않은 '도움'을 제안했다. 그들이 도움을 거절하자 머스크는 잠수부 중 한 명을 아동 성애자라고 매도했다.

또, 그는 블라디미르 푸틴이 우크라이나를 공격하여 유럽에서 침략 전쟁을 시작했을 때는 권투를 하자고 도발했다.

아, 그리고 머스크는 아주 적은 수의 사람들만이 실제로 존재한다고 확신하고 있다. 나머지는 소수의 진짜 인간들에게 도전하거나 그들의 삶을 더 좋게 만들기 위해 존재하는 컴퓨터 프로그램에 불과하다나.

당연히 무척 실제 존재처럼 보이는

머스크는 여자 친구에게 그녀가 모의 인간이라고 계속 말하여 자신을 떠나게 만들었다. 그 전에 둘은 실제 아기를 낳았는데, 이유는 모르지만 아기 이름을 'X Æ A-12' 라고 지었다. 머스크의 전 여자 친구가 헤어진 후에 성 전환자와 사랑에 빠지자 머스크는 성 전환에 적대적인 말을 자주 언급한다. 이것이 일론 머스크의 일면이다. 성격이 심하게 망가졌다.

다른 면도 있다. 사업에 관해서라면 완전히 엄청나게 거대한 천재다. 그는 사람들이 인터넷에서 편하게 지불하는 방식을 생각하기도 전에 페이팔 결제 서비스를 만들어 냈다. 또한 언젠가 인류의 절반이 전기 자동차를 원하리라고 아무도 예상하지 못했을 때 테슬라에 투자했다.

사업에서 머스크의 가장 큰 강점은 그가 언제나 오로지 미래만 생각한다는 점이다. 미래에 인기가 높을 거라고 확신하는 뭔가를 발견하면 그는 가장 먼저 실행에 옮긴다. 미래의 유행을 누구보다도 먼저 알아채는 탁월한 능력을 가지고 있기 때문이다.

지금 그는 세계 곳곳에 터널을 파는 중이다. 언젠가 시속 1,000킬로미터로 달리는 초고속 기차를 여기로 보낼 생각이다. 이 기차로는 함부르크에서 뮌헨까지 45분, 쾰른에서 바르셀로나까지는 약 1시간 15분이 걸릴 예정이다. 베를린에서 뉴욕까지는 비행기보다 빠를 것이다.

발명자가 기이한 괴짜라고 해도 나는 감탄하며 이 기차를 이용할 생각이다!

여러분이 번 재산을 지키는 방법

여러분은 오랫동안 추이를 지켜본 회사들의 주식 세 가지를 가지고 있다. 전 세계에 흩어져 있는 주식형 펀드에 투자도 했다. 이제 막 테마 펀드에 돈을 분산하기 시작했다. 여러분은 이렇게 '쌓은' 재산을 정말로 자랑스러워해도 좋다. 하지만 이미 말했듯이, 이제는 재산을 '지키기' 시작해야 할 시점이다.

첫걸음은 이미 떼었다. 철통 같은 비축, 즉 비상금을 마련해 둔 것이다. 다음 단계는 알맞은 보험을 계약하는 일이다.

여러분이 16세인데 이미 충치가 심하고 크라운을 일곱 개나 씌웠다면 당연히 치아 보험을 생각할 수 있을 것이다. 하지만 그 돈을 전기 칫솔과 가장 좋은 치실을 사는 데 사용하고 콜라 마시기를 그만둘 수도 있다. 그런데도 여덟 번째 크라운이 필요하다면, 그런 일에 사용할 비상금이 있어야 한다.

물론 반려동물 수술 보험도 생각할 수 있다. 여러분은 집에서 키우는 개를 사랑한다. 그런데 그 개가 쓰레기통을 헤집기 좋아한다. 그래서 일 년에 세 번이나 위장에 탈이 나는 바람에 동물병원에 가야 한다. 다행스럽게도 보험이 치료비를 내준다.

하지만 보험료를 훈련소에 지불할 수도 있다. 개가 그곳에서 쓰레기통을 뒤지지 않게 훈련하는 것이다. 그럼에도 위 세척을 해야 하는 일이 생긴다면 비상금을 써야 한다.

어쨌거나 생존을 위협할지도 모르는 상황에서 여러분을 지켜 주는 보험은 정말로 필요하다. 세상을 살다 보면, 여러분과 여러분의 생활을 완전히 쓸어 버릴지도 모르는 상황이 생길 수도 있으니까.

예기치 못한 위험에 대비하라, 책임 보험

여러분이 부모님 집에서 독립하여 제일 처음 하는 일은 아마도 집들이 파티일 것이다. 두 번째는 집들이를 할 때 보나 마나 엄청 시끄러울 테니까 이웃에게 양해를 구하는 일이겠지. 그렇다면 세 번째는? 바로 책임 보험에 드는 거다.

이 보험은 다른 사람의 것을 망가뜨렸을 때 필요하다. 보험금으로 손해를 배상해 준다. 여러분이 실수로 가장 친한 친구의 아이패드를 콱! 밟았을 때도 배상을 해 준다. 친구가 안경을 벗어 놓은 줄 모르고 의자에 철퍼덕 앉았을 때도 배상을 한다. 이렇게 작은 일은 책임 보험이 대신 비용을 물어 준다.

사실 이 보험은 정말로 심각한 일이 발생했을 때 진짜로 중요해진다. 여러분이 가스레인지를 끄지 않는 바람에 건물 전체가 불타 버렸다고 가정해 보자. 이런 일은 여러분의 삶을 망가뜨린다. 이렇게 소름 끼치는 일이 벌어질 경우를 미리 대비해야 한다.

그러므로 책임 보험에 가입할 때는 가능한 한 높은 보장 범위를 고르는 것이 좋다. 100만 원이 아니라 5천만 원, 혹은 1억 원을 선택해야 하는 거다. 물론 그렇게 하면 보험료가 비싸기는 하다. 하지만 그렇게 할 만한 가치가 충분히 있다.

여러분의 가스레인지가 큰 화재를 일으켰을 때를 대비해서 이런 보호

책이 있어야 하는 거다. 잠깐의 부주의로 자동차 여러 대가 파손될 수도 있고, 또 여러분 때문에 누군가 중상을 입을 수도 있다. 뜻하지 않게 이런 일이 발생하면 무제한 배상을 하는 책임 보험이 정말로 절실해진다.

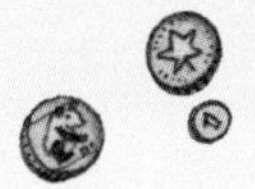

기후 위기가 온 세상을 파괴한다면?

인간이 상거래나 경제 활동을 한 이후로 방향은 오직 하나였다. 위로! 더 높이, 더 빨리, 더 멀리였다. 지금까지 경제 위기가 있긴 했지만, 새로운 고공 비행의 시작에 불과했다. 어떤 문제 하나가 없다면 아마 이런 식으로 영원히 계속될 것이다. 우리가 지금처럼 경제 활동을 한다면 지구는 무자비하게 파괴될 수밖에 없다. 우리는 열대 우림을 망가뜨리고 동물들을 멸종시켜서, 인간이 더는 살지 못할 정도로 지구를 파괴할 것이다.

여러분과 내 조상들이 무척 부지런하게도 석유와 가스, 숲, 그 외 한마디로 말해서, 이 지구를 위한 것들을 거의 다 태웠으므로 여러분은 살아가는 내내 그 결과를 몸으로 느끼게 될 것이다. 우리는 지금 기후 위기에 대해 말하는 중이다. 정말로 가뭄과 태풍, 성서에 나오는 듯한 홍수에 직면한 상황에서 매달 수입의 10%를 ETF에 입금해야 할까?

흐음, 지구가 기후 재앙으로 변한다면 비상금과 펀드, 자기 부동산은 정말이지 쓸데가 없다. 여러분이 운이 좋다면 (또는 무척 돈이 많거나 적어도 권력이 있다면) 화성이나 그 외 어디든 인류가 처음부터 다시 시작할 수 있는 곳으로 가는 우주선에 자리를 하나 얻을지도 모른다.

운이 나쁘면 우리와 함께 여기에 남는다. 그러고 기온 70도의 햇빛에 구워지면서, 언젠가 여러분의 부모님보다 더 부자가 되는 방법에 관한 책을 읽었다면서 마지막으로 함께 웃을지도 모른다.

이것이 하나의 선택지다. 모든 것이 망가지고 더는 좋아지지 않는 것. 무척 무력하게 느껴지는 미래 전망이다. 나도 그렇게 느낀다. 하지만 여러분과는 달리, 나는 기후 위기의 아주 끔찍한 영향력을 아마 직접 경험하지는 않을 것이다. 이 무력함에 대응하는 방법은? 바로 투자다.

인간의 욕구는 세계 멸망에 직면해서도 변하지 않는다. 앞으로도 배고프면 먹고, 누군가 보고 싶으면 여행을 하고, 추우면 난방을 할 것이다. 우리가 세상을 구하려면 상상하기 어려울 만큼 많은 돈을 지출하는 수밖에 없다.

우리 모두 그렇게 해야 한다. 여러분도 알다시피, 돈은 사라지지 않는다. 세계 멸망에 직면한다 해도 소유주만 바뀔 뿐이다. 그러니까 여러분은 여기서 이득을 보아야 한다.

모든 석유 기업과 화력 발전소 운영자를 망하게 한다. 여러분은 오늘부터 태양광과 풍력과 수력에 투자한다! 등유를 계속 사용하는 에어라인과 벤진을 많이 먹는 자동차를 생산하는 제조업자를 망하게 하고 지금부터 전기 자동차에 투자를 하는 거다.

언젠가 값싼 고기를 생산하는 마지막 가축 사육장이 문을 닫으면, 여러분은 이미 오래 전부터 실험실에서 생산한 대체육 또는 채식 대안 시장에 선두 주자로 투자하고 있는 셈이 된다.

여러분은 본인 재산의 미래뿐 아니라 지구의 미래를 위해서도 세상을 바꾸는 일에 참가한다! 말 그대로 하면 다음과 같다. 지금 여러분의 생각에 세상을 구하는 데 도움을 줄 수 있는 회사나 분야의 주식과 펀드를 사라! 이러면 기업들이 파괴적인 사업 분야에 집중할 가치가 없어진다는 것이 좋은 점이다.

그러니 여러분은 아직 투자를 통해 기후 위기에 맞서 싸울 기회가 있다.

10억 원으로 가는 터보 엔진을 켜는 방법은?

10억 원 만들기

지루한 원숭이와 NFT

이 외에 자산에 들어가는 것으로는 유가물, 즉 골드바와 보석, 클래식카, 비행기 등이다. 간단하게 말해서 손으로 만질 수 있고 장기적으로 가치가 있는 것들이다. 예를 들면 예술 작품이나 저작권, 특허권과 같은 무형 자산도 그렇다.

여러분은 어쩌면 중학교 때 존경하던 선생님과 연락을 하고 지낼 수도 있다. 우연히 통화를 하게 되었는데, 그 선생님이 전혀 알려지지 않은 프랑스 표현주의 화가에 대한 책을 쓰고 있다면?

우아! 유명한 미술관에서 그 책의 출간에 맞추어 전시회를 기획 중이라고 한다. 그럴 땐 통화가 끝난 후에 알려지지 않은 그 천재 화가의 동판화 두세 점을 사 두어도 나쁘지 않을 것이다. 아니, 나쁘지 않은 정도가 아니라 아주아주 현명하다. 그러고 나서 선생님의 책이 출간되고 전시회가 시작되기를 기다리며 작품을 고이 보관한다.

예술가는 전 세계적으로 유명해져서 작품 가격이 오르고, 여러분은 동판화를 2배, 3배, 100배 가격에 다시 판매할 수 있다. 저렴하게 사서 비싸게 파는 것이다. 여러분이 예술에 관심이 있다면 꼭 이렇게 하라고 권하고 싶다. 물론 운동화와 자동차, 시계, 우표도 마찬가지다. 이런 건 여러분이 무엇에 관심이 있는지, 어떤 분야를 잘 아는지에 달려 있다.

또, NFT도 있다. 대체 불가능한 토큰(Non-fungible Token)의 약자다.

NFT는 블록체인에 저장된 디지털 토큰(디지털 '등기 권리증')이다. 대부분 암호 화폐와 비슷한 방식으로 작동하는 디지털 예술이라고 이해한다.

여러분이 NFT를 사면 블록체인에 등록된다. 여러분은 이 디지털 예술품의 소유주다. 대부분은 그 누구를 위해서도 법적 구속력이 없고 원칙상 권리를 주장할 수 없다. 경우에 따라 다른 사람이 여러분의 NFT를 프로필 사진으로 계속 사용하거나, 거기서 밈 또는 자기 자신의 NFT를 만들어 낼 수도 있다.

이게 무슨 뜻인지 좀 더 생생하게 설명하기 위해 인류 역사상 아마도 가장 유명한 작품일 〈모나리자〉를 예로 들어 보자.

1503년에 이탈리아 예술가 레오나르도 다빈치가 아마포에 그린 유화 모나리자 원작은 현재 파리 루브르 박물관에 걸려 있다. 이 박물관이 오백 년 넘은 원작의 소유주다. 그래서 여러분은 원작을 만지거나 가지고 올 수 없다. 루브르 박물관의 소장품이지 여러분의 것이 아니니까.

그런데 여러분이 할 수 있는 것도 있다. 소유주인 박물관이 허락한다면 모나리자 원작을 사진으로 찍을 수 있다. 인쇄물을 살 수도, 그 그림이 있는 후드티를 살 수도 있다. 루브르 박물관은 여기에 대해 아무 말도 할 수 없다.

NFT의 경우도 마찬가지다. 다른 사람들이 계속 사용하고 복제해도 여러분은 거기에서 얻는 것이 없다. 하지만 공통점은 여기까지다. 레오나르도 다빈치 같은 사람이 그림 하나를 완성하는 데 몇 년이나 걸리는 반면, 디지털 예술품은 몇 분 만에 만들어진다.

물론 단 하나뿐인 작품이라면 나도 즉흥적인 예술적 업적이라고 높이 평가할 것이다. 하지만 아주 작은 부분만 다른 수천 개의 NFT를 알고리즘이 만들어 낸다.

이게 수천이나 수만, 수백만 개가 팔려도 여전히 예술일까? 래퍼 에미넴과 스눕 독, 농구 선수 스테판 커리, 가수 포스트 말론, 패리스 힐튼, 저스틴 비버가 사들인 〈지루한 원숭이〉를 예로 들어 보자.

〈지루한 원숭이(Bored Ape)〉는 기본 그림이 있다. 이 그림에서 출발하여 알고리즘이 변형된 그림의 원숭이가 줄무늬 셔츠를 입었는지, 아니면 단색 셔츠를 입었는지를 결정한다. 선글라스를 꼈는지, 아니면 눈에서 레이저를 뿜는지, 미소를 활짝 짓는지, 그것도 아니면 이빨을 가는지도 결정한다.

내가 이 책을 쓰는 시점에 제작자들은 이런 원숭이들로 10억 달러를 벌었다고 한다. 그들은 좋겠다. 무엇보다도 그들이, 아니 사실은 그들한테만 좋은 일이다.

유감스럽지만 이 원숭이들을 거래하여 그들 말고 누가 이득을 보는지 모르겠다. 다시 한번 유감스럽지만, 나는 이 원숭이들을 예술로 보기가 힘들다. 감동을 주는 진짜 예술은 예술가들이 깊이 있는 진정한 감정으로 만들고, 그들의 그림을 보거나 노래를 듣거나 소설을 읽으면 우리도 이런 감정을 느낀다. 어쨌든 나는 그렇게 생각한다. 다른 사람들은 예술에 대해 다른 견해를 가지고 있을 것이다.

솔직하게 말해서, NFT는 비즈니스 발명품이다. 그 이상도 아니고 그 이하도 아니다. NFT는 다른 모든 예술이나 유가물과 마찬가지로 할 만한 가치가 있는 투자 기회다. 그 분야를 잘 안다면, 그리고 〈지루한 원숭이〉의 수많은 변형을 거래할 마음이 있다면 말이다.

어쩌면 내가 잘못 판단하는 것인지도 모른다. 어쩌면 NFT가 앞으로 모두에게 더 많은 가치를 주는 새로운 사용 방식이 생길지도 모른다. 그렇게 믿고 싶다. 몇 년 전까지만 해도 이 모든 것을 상상할 수 없었다. 하지만 지금은 블록체인에서 공증 계약도 인증할 수 있다.

지루한 원숭이 ☆☆☆

·········○ 스타트 업에 투자하기

투자자들에게 타임머신이 있다면 무얼 할 것인지 물어보면, 대부분은 1976년으로 가서 스티브 잡스가 부모님의 차고에서 현대식 컴퓨터의 전신을 만들 때 애플의 지분을 사겠다고 대답한다. 또는 인류의 절반이 전기 자동차를 원하리라고는 상상도 하지 못하던 2003년에 테슬라 지분을 사겠다고도 한다.

나는 과거로 갈 수 있는 타임머신을 여러분에게 주지 못한다. 하지만 삼십 년 후에 많은 사람들이 여러분을 부러워할 만한 전략을 줄 수는 있다. 지금 존재하지는 않지만 세계 시장의 선두 주자가 될 분야에 여러분이 처음으로 투자할 수 있게 할 것이기 때문이다.

스타트 업, 그러니까 이제 막 설립되어서 성장하려면 자본, 즉 여러분의 돈이 필요한 회사에 직접 투자하는 거다.

지금 우리가 말하는 투자는 여러분이 엄청나게 많은 돈을 벌 수 있는 분야다. 반대로 엄청나게 많은 돈을 잃어버릴 수도 있다. 사실 스타트 업에 투자하는 일은 매우 위험하다. 그러니까 자신의 재산 가운데서 10% 정도만 투자하는 게 좋다. 지금 여러분에게 1억 원이 있다고 가정하면 1천만 원만 투자하는 것이다.

모든 스타트 업은 '유니콘'을 꿈꾼다. 기업 가치가 10억 달러(약 1조 원) 이상이면서 창업한 지 십 년 이하인 비상장 스타트 업 기업을 '유니콘 기업'이라 부른다. 우리나라로 치면, 토스, 야놀자, 무신사 같은 기업이다. 이런 스타트 업에 여러분의 적은 돈이 필요할까? 당연히 필요하다!

이미 수백만 달러(수십억 원)를 투자하는 투자자를 발견한 스타트 업은 여러분의 1천만 원에 관심이 없을 것이다. 회사는 벌써 너무 멀리까지 가 있다. 다시 말해 손님이 무척 많아서 어마어마한 매출을 내고 있다.

그러니까 여러분에게는 시작한 지 얼마 안 되는 스타트 업이 필요하다. 그런 스타트 업을 어떻게 찾을까? 우선 스타트 업이 자기소개를 하는 행사에 가 보는 것이 좋다.

대부분의 대학, 특히 공과 대학과 경제학부가 있는 대학에서 이런 행사를 자주 개최한다. 인터넷으로 볼 수도 있다. 이런 행사에서 학생들은 자신이 고안해 낸 제품을 소개한다. 그들의 아이디어가 마음에 든다면 이렇게 말을 걸어 보는 거다.

"안녕하세요? 멋진 아이디어군요. 혹시 자본이 필요하신가요?"

여러분의 질문에 그들은 분명히 감사할 것이다. 지금까지 아무도 믿지 않던 아이디어에 관심을 보이는 투자자는 극히 소수이기 때문이다. 여러분이 그 첫 번째 사람이 되지 않을 이유가 없지 않은가? 이 단계에 있는 기업에게는 여러분의 1천만 원이 정말 귀하다.

여러분이 아주 초창기에 참여한다면 1천만 원으로 회사 지분의 50%를 얻을 수도 있다. 첫 번째로 돈을 투자하는 사람이라면 그렇다는 거다. 조금 더 발전한 회사라면 아마도 20%를 얻을 것이다. 이미 사업이 잘되는 회사라면 1%가 될 테고.

지분의 크기가 얼마든 회사가 성장하는 한, 다시 말해 더 많은 매출을 올려서 고객과 투자자가 점점 늘어나면 여러분은 지속적으로 수익을 얻게 된다.

회사가 제대로 성장했을 때 여러분의 지분이 얼마나 될지 살펴보자. 회사의 가치가 100억 원이고, 여러분이 1%의 지분을 갖는다면 첫 투자 1천만 원은 얼마가 될까? 놀랍게도 1억 원이 될 수도 있다.

스타트 업에 대한 투자가 엄청나게 가치 있다는 사실을 이제 알았을 것이다. 하지만 대부분의 스타트 업은 처음 몇 년을 넘기기가 어렵다. 그래서 흐음……, 여러분의 돈이 사라지는 일도 무척 흔하다. 다른 한편으로는 1억 원을 향한 기회가 아주, 아주, 아주 작지만 분명하게 존재한다.

슈퍼 리치의 재산을 모두 몰수한다면?

나는 억만장자들의 얘기를 듣다가 가끔씩 의아해질 때가 있다. 슈퍼 리치들이 터무니없이 거대한 요트를 사거나 우주로 날아가는 꿈을 꾸거나 금박 스테이크를 먹는 뉴스를 볼 때면 자주 그런 생각이 든다.

미안한 말이지만, 그들은 어른인데 아이처럼 행동한다. 그것도 그 누구도 감당하지 못할 종류의 아이들이다.

다른 한편에서는 점점 더 많은 사람이 굶주림에 시달리거나 단 한 번의 예방 접종으로 막을 수 있는 질병으로 죽어 간다. 광산에서 청소년들이 스마트폰에 들어가는 원료를 캐다가 사망하기도 한다. 어른과 아이가 그들이 일으키지 않은 전쟁에서 갑자기 죽기도 한다. 게다가 우리는 지금 심각한 기후 위기의 한가운데에 있다.

아주 솔직하게 말하자면, 나는 사람들이 "슈퍼 리치들에게서 돈을 빼앗아 좋은 일에 사용했으면 좋겠어."라고 하는 말이 이해가 간다.

그러면서도 좋은 슈퍼 리치와 나쁜 슈퍼 리치를 구분해야 한다는 생각이 들기도 한다. 모든 슈퍼 리치에게서 돈을 몰수하는 건 치명적인 신호를 주는 것과 같다. 세상을 바꾸는 뭔가를 발명하거나 달성하려는 동기를 사람들에게서 빼앗을 수도 있으니까.

최고의 암 치료제나 치매 치료제로 버는 돈을 몰수당한다면 과학자들이 아침 일찍 일어날 이유가 없지 않겠는가? 기후 위기에 대항할 슈퍼 기술을 굳이 왜 발명하려 들겠는가? 열심히 일하면서 훌륭한 아이디어가 있다면 무엇이든 가능하다는 약속은 사람들에게 동기 부여를 하는 엄청난 힘이 있다.

나는 그들만큼은 부자, 그것도 아주 큰 부자가 되어도 괜찮다고 생각한다.

내가 이 책을 쓰는 지금, 세계적인 부자 중 한 명으로 꼽히는 일론 머스크를 예로 들어 보자. 조금 전에 말한 우주와 요트와 관련된 억만장자다. 2024년 6월 현재, 그의 재산은 281조 원으로 추정된다. 사람들은 그가 얼마나 돈이 많은지 가끔 잊어버린다.

그러니 잠깐 계산을 해 보자. 여러분이 돈을 무척 잘 번다고 가정하고, 일 년에 10억 원을 번다고 치자. 그리고 단돈 1원도 지출하지 않는다. 일론 머스크처럼 부자가 되려면 시간이 얼마나 걸릴까?

자, 일단 계산해 보자. 100년? 더 오래 걸린다! 500년? 더 오래! 그러면 1,000년? 훨씬 더 오래!

매년 10억 원을 벌고 1원도 쓰지 않는다면 281조 원을 모으는 데 약 28만 년이 걸린다. 거꾸로 계산하면 28만 년 전에 지구를 걸어 다니던 최초의 현생 인류 호모 사피엔스가 해마다 10억 원씩 벌어서 긴 세월이 흐르는 동안 1원도 쓰지 않았다면 지금 일론 머스크만큼 돈을 가질 수 있을 거다.

세상은 이토록 끔찍하게 부당하니, 슈퍼 리치의 돈을 모두 몰수해야 한다는 결론을 내리는 게 맞을까? 음, 그럴지도 모른다.

하지만 나에게는 다른 아이디어가

있다. 억만장자 면허증을 발급하는 것! 백만장자에서 억만장자로 넘어갈 때 시험을 보게 하는 것이다.

일단 그 사람은 글을 써야 한다. 어디에서 왔는지, 위로 올라올 수 있게 도와준 사람은 누구인지, 그들에게 충분히 감사했는지……. 이 백만장자가 어느 정도 좋은 사람인지 알아내기 위해 친구와 가족, 적들에게 두루두루 물어본다.

그런 다음 심리 상담을 받으러 간다. 백만장자들은 모두 지금까지의 상처와 트라우마를 직면하고 반드시 극복해야 한다. 이 과정을 잘 통과하면 다음과 같은 말이 쓰여 있는 증명서를 받는다.

"이 백만장자는 억만장자가 되기에 필요한 정신적인 성숙함을 갖추고 있다. 이 사람은 자신의 성격적인 결함을 돈으로 상쇄하려고 하지 않을 것이다."

마지막으로 이 사람이 부자가 된 사업을 점검한다. 이 사람의 제품이나 서비스가 많은 사람을 위해 가치가 있는가? 세금을 빼돌리지 않고 잘 내는가? 직원들을 잘 대하고 기본적인 인권을 잘 지키는가? 어린이한테 노동을 시키지는 않는가? 성과급을 직원들과 적절히 나누는가?

이 시험 가운데 한 분야에서 떨어진 사람의 돈을 세계 기아에 대항하여 싸우거나 소아마비와 에볼라 예방 접종을 위해 일하는 재단에 보낸다.

세 분야의 시험에 모두 합격하는 사람만이 억만장자가 될 수 있다. 그런 사람이라면 500억 원, 5,000억 원, 아니 5조 원을 모아도 괜찮다고 생각한다.

그런데 이 아이디어에는 문제가 하나 있다. 도대체 누가 이 시험을 개최한단 말인가?

국제연합이? 다른 억만장자들이? 하버드 대학교와 예일 대학교와 옥스퍼드 대학교의 가장 현명한 학자들이? 인공 지능이? 전 세계 사람들이 인터넷으로 투표를?

누가 억만장자 면허증을 교부할 수 있을 만큼 완벽하게 청렴한지 아는 사람은 나에게 당장 연락하기 바란다! 우리, 함께 당을 조직해서 이 일을 위해 싸우도록 하자!

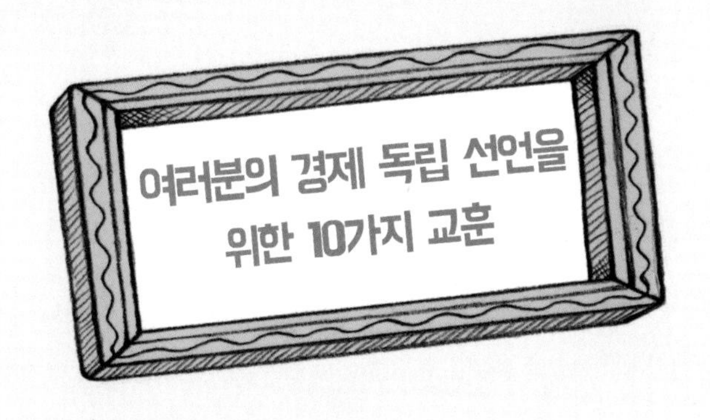

① 여러분 스스로 힘써야 한다

세상은 불공평하다. 여러분의 부모님은 회사 연금과 국가 연금을 받는다. 부모님은 돈을 평생토록 저축 통장에 넣어 두고서 30세에는 집을 살 수 있었는데, 여러분은 스스로 노력하지 않으면 평생 집을 살 꿈만 꾸게 된다. 아무도 도와주지 않을 테니까. 국가도, 은행도, 학교도 돕지 않는다. 돈을 관리하는 법을 여러분 스스로 배워야 한다.

② 최고의 투자 시점은 바로 오늘이다

인생은 고속도로를 달리는 것과 같다. 여러분이 학교를 어떻게 마치는지, 어떤 과목을 공부하는지, 어떤 도시나 국가로 가는지에 따라 첫 주행을 하거나 놓친다.

지금 내리는 모든 결정이 그 후에 내리는 결정에 영향을 끼친다. 그 무엇도 되돌릴 수 없다. 지금 하지 않는 일은 나중에 무척 힘겹게 보충할 수 있거나 전혀 할 수 없다.

이른 기회를 놓치면 가능성의 공간이 줄어든다. 일찌감치 투자를 시작하면 첫 10억 원이라는 목표에 도달할 때까지 몇 년 또는 몇십 년에 걸쳐 확장해 가는 데 유리한 출발을 한 것이다.

③ 합법적이고 계획 가능하며 빠르게 부자가 되는 길은 없다

여러분은 온 세상을 열광하게 만들고, 여러분을 엄청나게 부유하게 해 줄 제품을 얼마든지 발명할 수 있다. 하지만 이런 아이디어는 계획할 수 없다. 여러분을 억만장자로 만들어 줄 기업을 평생

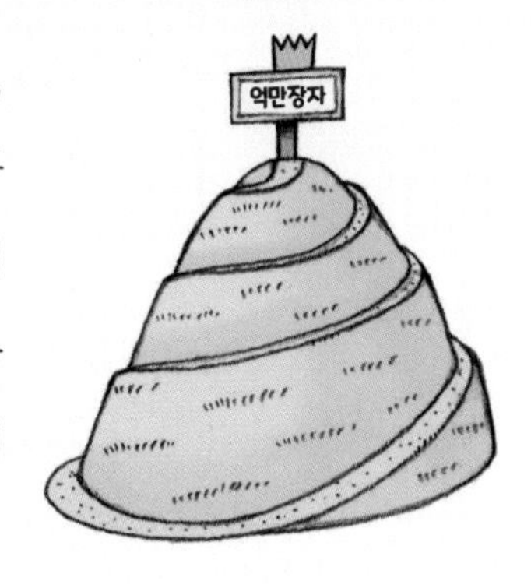

못 만들 확률이 크다.

물론 인터넷에서 글로벌 마약 거래를 하여 달러로서 굉장한 부자가 될 수도 있다. 하지만 그런 거래는 여러분을 교도소로 밀어넣는다.

세상을 바꿀 아이디어도, 범죄 에너지도 없다면 남은 것은 이성적으로 투자하는 길밖에 없다. 이를 위해서는 인내심이 필요하다. 첫 10억 원을 만들기까지는 시간이 걸린다. 그래도 여러분은 해낼 수 있다. 약속한다!

④ 여러분이 잘 아는 분야에만 투자하라

여러분은 부자가 되기 위해 영혼을 팔 필요도, 십 년 동안 경영학을 공부할 필요도 없다. 한없이 복잡한 금융 상품을 이해할 필요도 없다.

여러분을 위한 최고의 상품은 이와 반대로 여러분과 같은 비전문가가 금방 이해할 수 있는 상품이다. 여러분이 스스로의 결정에 따라 돈을 투자하는 방식은 세상의 변화에 직접적인 영향을 끼친다.

그러니 여러분에게 맞는 일에 투자하라. 여러분이 좋다고 생각하는 일, '좋음'과 '나쁨'에 대한 여러분의 개인적인 척도에 따라 지구와 그 위에 사는 사람들을 더 발전시킨다고 확신하는 일에 투자하라. 주식과 채권, 예술품, 금, 부동산……. 아주 큰 투자 세계가 여러분의 눈앞에 펼쳐져 있다. 여러분은 그저 첫발을 떼기만 하면 된다.

⑤ 10% 규칙이라는 황금률을 지켜라

돈이 어떤 식으로 들어오든—생일 선물, 용돈, 아르바이트, 첫 번째 거래—모든 수입의 10%는 투자를 위해 떼어 두는 것이 좋다. 다른 말로 하면, 장차 돈이 여러분을 위해 일하도록 떼어 놓는 것이다.

⑥ 돈으로 무엇이든 살 수 있다, 행복만 제외하고

돈은 여러분을 행복하게 만들지 않는다. 돈이 있으면 아마도 잠을 더 편하게 자고, 식생활이 더 편하기는 할지도 모른다.

하지만 친구와 가족이 없다면 여러분은 그

저 돈만 가지고 있을 뿐, 스포츠카와 호텔 스위트룸에서도 혼자일 수밖에 없다.

파티에 모인 사람들 중에 제일 부자라고 해도 행복하지 않고 그저 가장 바보일 뿐이다. 재정적인 부유함뿐이 아니라 인간으로서 여러분 자신에게도 투자하라. 특히 다른 사람들과의 관계에 투자하는 것이 좋다.

⑦ 증권 거래소에서는 모든 것이 다시 좋아진다

여러분은 시야가 넓다. 여러분의 투자 영역은 전 세계다. 한 분야가 아니라 모든 분야, 한 기업이 아니라 수많은 기업이다. 여러 군데로 분산해야 넘어지지 않는다.

인내심이 있으면 느긋하게 볼 수 있다. 증권 거래소에서 안 좋은 하루나 폭풍 같은 1~2주가 여러분처럼 몇 년 또는 몇십 년을 생각하는 사람들에게 무슨 영향을 끼친다는 말인가?

뒤돌아보면 최악으로 폭락한 날은 주가가 다시 오르기 시작하는 전날이었을 뿐이다.

⑧ 예기치 못한 위험에 대비하라

처음으로 큰 수익을 얻는 일은 멋지고 즐겁다. 재산이 증가한다면 환상적이다. 하지만 불쑥 여러분이 원하는 대로 되지 않으면 어떻게 하지? 몸이나 머리 상태가 아주 안 좋아진다면? 완전히 망해 버리면?

제때 올바른 보험에 가입해 두었다면 보험들이 여러분을 솜털처럼 가볍고 푹신하게 받아 낼 것이다.

⑨ 인생에서 아름다운 일들을 놓치지 말자

자기 자신을 위해 전혀 돈을 쓰지 않는 경직된 구두쇠가 되어서는 안 된다. 여러분은 최고의 음식과 음료, 최고의 콘서트와 가장 아름다운 여행을 즐겨야 한다. 절제 있게, 그리고 무엇보다도 '스마트하게' 목표에 다가간다면, 여러분은 진정으로 원하는 모든 것을 스스로에게 허용할 수 있다.

⑩ 마침내 경제 독립 선언!

이 모든 일을 왜 해야 할까? 육십 대 중반이 되었을 때 하루 종일 텔레비전 앞에 앉아, 매일 똑같은 음식을 먹고 똑같은 얼굴을 보며 집 밖으로 전혀 나가지 않으려고?

당연히 그렇지 않다! 여러분은 안전한 느낌을 위해, 삶의 아름다운 일들을 위해 평생 투자했다. 그렇게 하는 것이 재미있었고, 여러분 스스로 선택한 시점에 경제 독립 선언을 하기 위해서다.

오늘부터 시작하는 알짜 경제 공부
부자가 되고 싶은 십대에게

첫판 1쇄 펴낸날 2024년 8월 26일

지은이 토비아스 클로스터만
그린이 클레어 렌코바 **옮긴이** 전은경
펴낸이 박창희
편집 홍다휘 백다혜 **디자인** 배한재
마케팅 박진호 **홍보** 김인진
회계 양여진 김주연

펴낸곳 (주)라임
출판등록 2013년 8월 8일 제2013-000091호
주소 경기도 파주시 심학산로 10, 우편번호 10881
전화 031) 955-9020, 9021 **팩스** 031) 955-9022
이메일 lime@limebook.co.kr **인스타그램** @lime_pub
홈페이지 www.prunsoop.co.kr

ISBN 979-11-94028-14-7 44320
979-11-951893-8-0 (세트)